U0944068

萧乾 主编

新编文史笔记丛书

第三辑

29

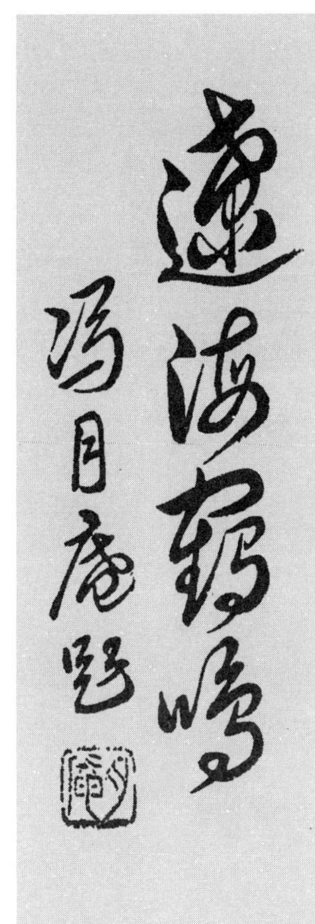

◎辽宁省文史研究馆 编
●马坤 郑殿起 刘俊 主编

中華書局

目录

清廷索迹

奉系飞烟

日寇梦碎

辽沈轶事

寻幽揽胜

桃芳李艳

体坛艺苑

民族风情

奇珍佳味

序

萧　乾

读书界向来对野史有所偏爱。野史大多是信手拈来的历史片断，且往往出自亲历者之手。文直事核，不虚美，不隐恶，而文笔潇洒自如，意味隽永，自然朴实，篇幅不长；可以摊开来仔细咀嚼，也可供茶余酒后、行旅倥偬中，随手浏览。

鲁迅在《华盖集》中，曾几次对野史表示过好感。在《忽然想到》一文中写道："历史上都写着中国的灵魂，指示着将来的命运，只因为涂饰太厚，废话太多，所以很不容易察出底细来。正如通过密叶投射在莓苔上面的月光，只看见点点碎影。但如看野史和杂记,可更容易了然了,因为他们究竟不必太摆史官的架子。”又在同书《这个与那个》一文中说:“野史和杂说自然也免不了有讹传,挟恩怨,但看往事却可以较分明,因为它究竟不像正史那样地装腔作势。”

全国文史研究馆所编的《新编文史笔记》丛书,内容也属野史杂说的范畴。我们希望这些以亲闻、亲见、亲历为主的轶事掌故、琐闻杂记,写人、事而摒除误会曲解,述历史而符合真实面目。

作为一种短隽有味,文字清奇而又雅俗共赏的文学体裁,笔记在中国具有悠久的传统。它始自魏晋,盛行于宋代。南朝刘义庆的《世说新语》,北宋沈括的《梦溪笔谈》,南宋陆游的《老学庵笔记》,明朝张岱的《陶庵梦忆》,清朝纪昀的《阅微草堂笔记》以及20世纪30年代初丰子恺的《缘缘堂随笔》,都是文学史上的奇葩。然而,近年来笔记乏人问津。因此,我们出这一套书,也包含着挽回颓势之意。

全国三十二所文史研究馆拥有雄厚的稿源,两千多位馆员和各馆联系的社会人士,都是丛书的撰稿人。他们都是文史界的耆宿,见多识广,阅历丰富:有的反对过帝制,有的在“五四”运动中扛过大旗,他们目睹过军阀的横行霸道,也经历过艰苦卓绝的八年抗战。这些历尽沧桑的饱学之士,他们的所见所闻,都是弥足珍贵的史料。

本丛书分辑出版，分别由各地文史研究馆编辑，内容亦以本乡本土为主。因此，各册势必具有浓厚的地方色彩。

本着笔记固有的传统，所收各文题材不嫌庞杂。举凡与文史有关的政治、经济、军事、文化、社会等方面，或记闻见杂事，或叙往昔交游，或忆社会百态，均在搜罗之列。时间跨度则自清末以迄1949年为止。这正是中华民族从闭关自守到走向世界，从落后羸弱到奋发图强，是天翻地覆、风起云涌的大半个世纪。其间，发生过多少可歌可泣的事迹，涌现过多少杰出的人物。以这一时间跨度为背景题材写出的笔记作品，必然是内容最为丰厚的。

在选稿标准上，我们坚持史料一定要真，内容要新；既要防止以讹传讹，也力避炒冷饭。在写法上务求短小精悍、生动活泼。每篇以千字为度，希望借此在文风方面，提倡一下简约。在版式上，则想做到既利于阅读，又便于携带。

恳切希望文史界方家及广大读者，不吝赐正。

宫中伴读

坦克敦布

1919年，溥仪十四岁，宫中想找个为他伴读的人，要求必须是同辈。因为溥仪的七叔载涛和陈宝琛，过去常到锦州我家来，我和溥仪恰巧同庚，因而几年以后，当宫中四处寻觅伴读的人选时，载涛和陈宝琛就想到了我。1919年3月15日开始，我每天8时入宫，见溥仪时先要跪安。午间不回来，在宫中用饭。下午4时才能出宫，出宫时也要向溥仪跪安，每日见到老师也要跪安。晚间我住在东华门外一位亲戚家。学的课程：英文书籍是《英文法程》和《天方夜谭》；满文从字母学起；汉文方面因为溥仪已学了两年，在我入宫时，陈宝琛老师正在给溥仪讲授《诗经》的“小雅”篇。我们读书的地点在上书房。每天上午学两个半小时，下午学一个半小时，学的进度不快。英文老师庄士敦态度和蔼、耐心。溥仪对英文很感兴趣，学起来也比较热心，成绩较好。我因为在初中时学过将近三年英文，学起来当然更不觉得费劲。满文很难学，溥仪又很不重视它，所以成绩较差。而我以前学过满文，有些基础，因而成绩早已超过了溥仪，但是在表面上还不能表现出来。满文老师伊克坦态度严厉，要求严格，常常因为溥仪不好好学而来惩罚我，轻则斥责，重则罚跪。

在尚书房读书时，溥仪坐在北面御座上，教师坐在西侧，伴读的坐在东侧。我们每个人的面前都有桌子和文房四宝。我坐的椅子和用的桌子比他们用的要矮小。上课时有太监服侍，可以抽烟、喝茶。我在宫内生活一年多，后来看到宫内勾心斗角的事颇多，不愿再呆下去，就给在沈阳的舅父去了一封信，让他来信说我母亲病重，要我向老师请假回家。溥仪一听说我要回去，看样子很留恋。约我和他一起去逛西单商场，他给我买了一支金笔和一瓶进口的高级香水。我只想接受那支金笔，留个纪念，香水我根本不想用它，开始我没要。可是溥仪说：“不，你一定得要，你回家以后经常把它洒在衣服上，闻到它的香味就会想起我，想起咱们在宫中的这段交往。”

我只好接受了。1920年农历十月十五日那天，我进宫辞行，从此结束了这段历时一年零八个月的伴读生涯。

祭皇灵与剪发辫

荆有岩

1908年11月，我年九岁，在沈阳界彰驿站小学校就读。本月14日和15日清朝皇帝光绪及慈禧太后先后死去，本省提学使司指示学界致祭。学校于院内设长桌，安放慈禧太后及光绪皇帝牌位，由村会会首及老师领导全体学生致祭，行跪拜礼。我们这些小学生，只是按着老师的指示叩头。礼毕，我去看两个牌位，慈禧太后的牌位上写着很长一行字，看不明白，问老师说是对她崇敬的字。

1911年辛亥革命风潮传到东北，有些年龄大的学生自动开始剪发辫，并手持剪刀在每个学生头上剪一下，跳跳哒哒好玩似的。也有的学生珍惜多年的好头发，哭哭啼啼不愿剪，但在同学的劝导下，也勉强剪了。实际只剪掉一半，剪成一半长头发一半短头发很难看，想起来真好笑。

盛京将军复职

克　明

清光绪二十六年(1900)义和团起义期间，盘踞在旅大地区的俄军沿铁路北犯，7月间先后侵占熊岳、盖平、营口等地，于8月攻陷辽阳。清盛京将军曾祺，本应守土有责，却诡称俄军连珠快炮，杀伤过多，他失魂落魄弃全城百姓于不顾，出城逃往法库三面船，继又从新民界逃到广宁(今北镇县)，再遁往义州(今义县)，真如惊弓之鸟惶惶不可终日。9月李鸿章电告随西太后逃往西安的军机处，谓在俄钦使杨儒来电，已与俄方商定，准许谈判交接事宜，可先由俄军占据的三省二城开始，请速饬曾祺返回沈阳，以资进行。虽经多方查寻，却不知曾的生死下落，拖延至11月，曾祺才转返省城，即派员往旅顺与俄擅定《奉天交地暂且章程》，清廷以曾祺擅行派员妄订条约之故，下诏革其职。旋俄国驻京使节函告李鸿章，对中国撤换盛京将军表示不满。李电请清廷俯顺洋情，仍令曾祺署理将军之职。

徐世昌与大仓喜八郎

佟 安

清光绪三十三年（1907）东三省总督徐世昌，以创办新政为名，擅将本溪湖矿山和奉天东边一带森林作抵押，向日本大仓喜八郎开设的大仓组（公司）借款。此事被两级师范、高等警官等校学生闻知，在两级师范校长吴景濂鼓动下，组成奉天学生联合会，反对徐世昌丧权辱国，出卖国家利益的罪行，特电报北京清政府军机处及外交、工商等有关各部，请求明令制止，并严办徐世昌。不料，军机处竟将电报转给徐世昌查处。徐一面惩治鼓动风潮的出首学生，一面继续与大仓喜八郎秘密进行借款活动。大仓的手，从此伸入奉天省境内。他首先开办一个中日官商合办本溪煤铁公司，随后又开办一个中日鸭绿江采木公司，名虽中日双方合办，实际经营大权都操在日方手中。大仓喜八郎通过这些公司，大肆掠夺东北煤铁资源，成为日本明治、大正年间最大的财团之一，堪与三井、三菱财团并驾齐驱。

依不打，长坐坡，宋庆一败八百多

仁　厚

清光绪二十年(1894)中日甲午战争时，丁汝昌率领的北洋水师在黄海海战中败退。陆军方面在平壤战役中，除奉天盛字军左宝贵忠勇殉国、大同总兵聂士成著有战绩外，直隶提督、统率援朝诸军的叶志超却率部狼狈溃逃，日军乘势渡过鸭绿江，辽海危殆。守土有责的盛京将军依克唐阿，却未作有力抗击，大好河山即任敌蹂躏。当时民间流传这样几句话："依不打，长坐坡，宋庆一败八百多。""依不打"，指的就是依克唐阿临敌不敢打仗。"长坐坡"，"坐坡"是东北的方言，指的是吉林将军长顺畏缩不前，只向后撤。"宋庆一败八百多"，指的是统带毅军的宋庆，他由旅顺口调到鸭绿江西岸九连城，担任防卫，他却从前线率部一下子撤退到海城牛庄，又由牛庄再度西退。这几句话，是人民群众对这些败军之将的形象的描绘和口诛。

奉天同善堂

刘 俊

左宝贵(1837—1894)字冠廷,山东费县人,回族。光绪初年(1875),随尚书崇实巡视奉天、吉林,晋记名提督,授高州镇总兵,仍留奉天,直至1894年他率军赴朝灭寇。此间,他多次微服简从,足涉边塞,屈身民宅,见“其户口之凋零,室家之穷苦,有不忍形诸奏牍者”,不禁潸然泪下。因此,他一面严厉整饬部队,习武扬威;一面解囊施惠,拯难民于水火。每逢大疫重灾,他都率先捐资赈济,平时他则着眼于逐步发展慈善事业。

光绪七年(1881),他虑及“天花”对人民危害甚重,始创办牛痘局,以保赤济生为宗旨,设医士三人,常年接种牛痘。开奉天“卫生之嚆矢”。之后,他为照顾无依无靠孤寡老人的生养死葬,又办了一所养老院。因闻弃婴啼哭于途,而建起了育婴堂。目睹身残体衰者冻馁街头,遗尸于野,故辟栖流所。念及沦娼难女不易逃离苦海、赎身从良,特设济良所。顾于无业青壮年缺少养家糊口本领,生活难以为继,旋办习艺所,授以建筑、酿造等各种生产技艺。

光绪二十年(1894),左宝贵在朝鲜平壤玄

武门忠勇殉职。奉天官民在悲痛之馀，将其创办的上述慈善事业集中管理，名之为奉天同善堂。“九一八”事变后，日本侵略者占据了沈阳，便把同善堂给毁掉了。至今人们每谈论于此，敬重、痛恨、惋惜之情溢于言表。

辛亥满族先烈恒宝昆

王晓刚

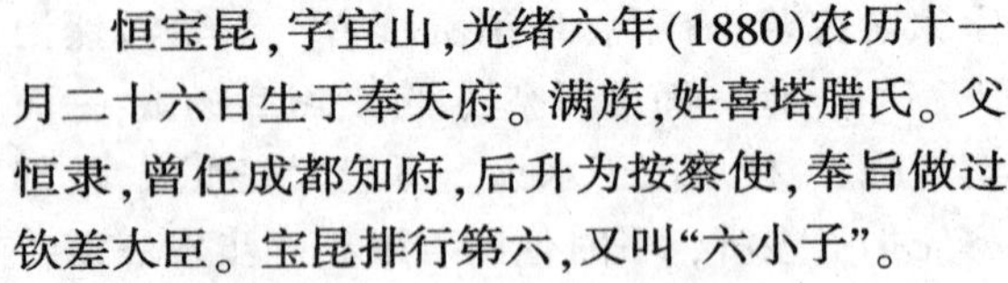

恒宝昆，字宜山，光绪六年（1880）农历十一月二十六日生于奉天府。满族，姓喜塔腊氏。父恒隶，曾任成都知府，后升为按察使，奉旨做过钦差大臣。宝昆排行第六，又叫“六小子”。

光绪二十六年（1900）“八国联军”侵入北京，慈禧太后挟光绪皇帝西逃时，恒宝昆的父亲是“随驾”大员。他平日最担心的是“六小子”有“激进思想”，便特地让他从北京返回奉天居住，等有机会带宝昆去北京，面见“老佛爷”，以讨个一官半职，既可光宗耀祖，也了却恒府老人的不安。然而，恒宝昆已向往革命，不愿做清廷的官。他见到慈禧太后时态度傲慢，惹得慈禧不高兴，只赐给宝昆一颗从簪饰上掉下来的翠雕金蟾。对这具有讽刺意思的礼物，宝昆却“欣然接纳”，以此坚定推翻清政府的决心。

1910年，张榕从日本归来，带回了革命新思想，他与恒宝昆及《国民报》的编辑田亚斌一起加入同盟会，从事推翻清王朝的组织活动。

恒宝昆坚决主张以武力夺取政权，他不惜用自家大部分财产购买武器弹药，积极策动新军内有革命倾向的军士反正。准备在清朝发祥地奉天来一个“釜底开花”，以截断清退守关东的后路。当时居领导地位的张榕，主张和平变革，争取张作霖站在革命一方，举旗反正，使奉天革命陷入以赵尔巽、张作霖为首的保皇势力包围之中。

1911年，张榕、恒宝昆、田亚斌等倡建了联合急进会，宣言申明：“急进会以尊重人道主义”、“敦促清帝退位”。这时，四面八方豪杰义士纷纷入会，计有十多万人。同时创办《国民报》向东三省人民宣传共和思想。恒宝昆等人秘密组织同仁分赴辽阳、海城、新宾、安东(丹东)等地发动武装起义。这时奉天起义准备就绪，只待起义号令。不料由于新军内叛徒的告密，张作霖连夜派金寿山率领军士直奔大东关恒知府的宅第。恒宝昆正在寝室熟睡，一阵枪响，宝昆惊醒，知道事情有变，他披衣下床，摸起手枪，爬到房顶上向包围家中的清兵开枪，同时指挥护卫进行抵御。他又从房上奔下来，打算突围，想不到金寿山已由东墙跳入恒府，暗藏在中院门旁，举起大刀，向恒宝昆砍去，反清义士立刻倒在血泊中。

辽阳辛亥英烈

吴　非

武昌起义爆发后，同盟会会员商震、陈干潜入辽阳，联系郭维潘、武扬、石补天及警察教练所、巡防营、陆军小学、大安平一、三区警察，外加弃暗投明的捕盗营头目尹锡武所部人马，原订集结在辽阳高丽门外郭家店起事。

不料事泄，形势逆转。坐镇盛京的东三省总督赵尔巽，得悉革命党在他眼皮底下起事，如坐针毡，亲派陆军管带黄建中带领一营士兵前往辽阳围剿。一天凌晨，在辽阳高丽门外大车店响起了爆豆似的枪声，已集合的约六十名革命军除有几只火枪外，多数手无寸铁，终因武器不济、寡不敌众，当场十馀名革命党人阵亡，二十七名被俘者被拉到西关刘四姐烈女坟前的断魂桥旁处死。这些革命英烈临刑前个个面不改色，昂首挺胸，宁死不屈。其中的年轻壮汉石补天，面对屠刀，视死如归，竟在告别人世的瞬间，为其妻留下绝命诗一首，诗曰：

柴米夫妻酒肉宾，人情厌故喜迎新。
残花尚有三分艳，欲寻风流趁早春。

咏毕，慷慨就义，为辛亥革命流尽了最后一滴血。

唐绍仪打狗官司

南　子

光绪三十三年(1907)清政府下令改变奉天行政制度,将原设的陪都五府六部一律裁撤,奉天改为行省,最高行政官长是巡抚。第一任奉天省巡抚唐绍仪,他是广东香山(现中山县)人,早年侨居美国,在美国学校读书。当时随徐世昌来奉的一批大员,如钱能训、熊希龄等,都是翰林出身,人称翰林班子。惟独唐绍仪不是翰林,但他中英文都不错,对驻奉英美领事和西绅广有交际,于是人称他为洋翰林。他饲养一条狼狗,每天到行省公署上下班时,都把狗带进他乘坐的玻璃马车里,在他身旁站着,路人看到很觉新奇。尤其这条狗每天要喂五斤牛肉,很为官场人们所不满。于是有位御史上奏清廷,谓东省经日俄之战,地方疲惫,人民糟糠不足,唐巡抚每天以牛肉饲犬,诚视人不如犬,岂堪为一省之巡守。军机处将奏折抄交唐绍仪,令其奏明原委。唐复奏,谓西洋各国伟人蓄犬者大有人在,何其所见之不广。我朝兴自满洲,八旗习俗,重视鹰犬,饲以鱼肉,亦属常事,况购肉之资,出自薪俸撙节,无伤官箴。结果,这场官司不了了之。

冯德麟出任三陵都统

哲　宗

冯德麟与张作霖在清朝末年，同出身于草泽，同时受抚，由巡防营管带扶摇直上，官至巡防营统领和陆军第二十八、二十七师师长。这一时期，他们是并肩发展，相互声援的。待张作霖羽翼已丰，便逼走段芝贵，从袁世凯手里运用“韩信求为假王”的手段，篡夺了奉天将军高位，而冯德麟则屈为军务帮办。由多年的平行，一变而为正副。自此，冯、张之间的关系日益恶化，俨然势不两立。张勋搞复辟时，公推冯德麟去京赞助。复辟失败后，冯因此在天津被捕。张作霖乘机削去他的第二十八师师长及军务帮办职务。同时假仁假义保释了冯德麟，并请还他的勋位和勋章，赦他无罪。接着，请他回到奉天，任三陵都统。

陵者，帝王的坟墓，始于战国中期，至西汉便成为帝王墓的专用名词。长白山是清的“发祥地”；三陵即永陵、福陵、昭陵，是顺治以前世祖的陵地。为不忘祖先，清廷置三陵都统，主四时祭祀，长年守护。都统秩正一品，原由皇帝钦命；凡职责以内各事，可直奏皇帝，与奉天将军平行，各司其事，无分轩轾。

三陵都统守护衙门是在民国优待清室条件下存在的。既然复辟失败,条件自应取消。但经清遗臣徐世昌、阮忠枢以及冯国璋、段祺瑞等人的维护,该衙门一直延续到民国十四年(1925)。请回冯德麟,给他什么官呢?张作霖煞费苦心,琢磨好久不能确定。征询左右,有人说,他忠于皇帝就应陪皇帝,张作霖不久就把这一"都统"位置给了冯德麟。

左"大人"与"杠子张"

王胜利

左宝贵是清朝戍边大臣。光绪十九年(1893),甲午战争前夕,左宝贵考虑到辽南地区防务需要加强,遂自奉天南下巡察。复州文武官员对这位提督大人的光临自然特别重视,衙署内外收拾得十分整洁,并准备了最讲究的住处。但出乎他们的意料,左宝贵来后却下榻于城里回族商号"北正兴",他一直身着便服出入往来,四处巡视。

当地清真寺古朴壮观,庄严肃穆。公务之暇,他特地入寺礼拜。

主持复州城清真寺教务的张阿訇,是一位精通伊斯兰教义、学识渊博、刚直不阿的人。他从不趋炎附势,遇到回族百姓遭受官吏欺凌,他

总是挺身而出，仗义执言，据理以争。当地群众都很敬佩他的为人和才学，送了一个“杠子张”(意乃倔强、耿直)的绰号给他。风闻左宝贵要入寺礼拜，教友们急报张阿訇，要他赶快做好迎接的准备。张阿訇听后，“杠子”劲儿又上来了，淡淡地说：“我主持我的教务，他办理他的军务，彼此本无干系，何必兴师动众凑热闹！”

张安坐不动，照常与众穆斯林谈经说道。左宝贵便服轻装，不带随从，径自叩寺参礼，一一如式。礼毕，以教友身份会见张阿訇和其他穆斯林。这样素朴平易、虔心奉教的态度，使张阿訇备受感动，但当场并未流露出来。当左宝贵步出大殿时，张阿訇站在门内，说了句“大人慢走，恕不远送”，便返回内室。

“杠子张” 从未见过这样的 “大人”，“左大人”也从未见过这样的“杠子”，二人各自称奇，相互佩服。左宝贵回奉天后不久，为其母操办祭事，特派人南下复州，恭请只有一面之交的张阿訇前去主祭。张阿訇欣然应请，赶赴奉天。从此，左宝贵与张阿訇结下了深厚的友谊，给人们树立了“君子之交”的楷模。左宝贵还曾赠给复州城清真寺三块匾额，其中一块由他亲笔书写“亘古清真”四个苍劲有力的大字，侧书书匾时间和他的官职。后来，日本帝国主义侵占了大连地区，对抗倭英雄左宝贵亲书的匾额自然感到刺眼，屡欲除之，但慑于复州回族人民的威力，始终望匾却步，不敢轻举妄动。

张勋续门婿

基　石

清光绪二十四年(1898),江南提督张勋和皇室后裔任侍卫处代理大臣的德图纳海，在北京雍和宫结成八拜之交，并挽手约定:“日后如有同庚子女愿结红绳之亲。”

天公做美,光绪三十二年(1906)德图纳海先抱贵子,取名坦克敦布。不久张勋继得千金,取名张淑敏,两家相互祝贺之馀又互换庚贴。不久,因德图纳海参与戊戌变法,被削职回籍(锦州)待罪。民国八年(1919)坦克敦布被舅父三多送到北京故宫作伴读,此时常到张勋家。当时德图纳海已年近古稀,希望爱子早成比目,而张勋也愿小女早结鸾凤。一次，坦克敦布到张府请安,张勋想看看他的书法和文才如何,便让他用八个字写出自己的志向和为人。坦克敦布稍加思索,挥笔写了“光复河山,清白坦荡”。张勋一看,有“复清”二字,以为这是坦克敦布的“隐语”。再细看八个大字写得遒劲有力,连称:“妙极,妙极!”即命文秘万绳拭给德图纳海写信,请他夫妇火速来京,共为孩儿完婚。两家共同选定庚申(1920)五月初九在北京东华门成亲。坦克敦布与张淑敏婚后甚是恩爱。不幸,两年后张淑

敏身染痨疾，请清末太医李君启百治无效，不久命归黄泉。张勋一向把小女淑敏视如掌上明珠，又颇爱坦克敦布的笃厚，所以张勋不愿因小女之死而断了这门亲家。他听说李君启有一小女名叫李成春，与张淑敏同庚，为人非常贤惠，就亲赴李家，对李君启说："太医，我有意认贵府千金为义女，不知老朽可能高攀……"李君启深知张勋用心良苦，他也深爱坦克敦布这个英俊老成的后生，便满口答应说："这是你们父女的福分，鄙人明日即带小女过府拜见督军。"

民国十二年(1923)春，张勋身患中风，半身瘫痪。一天，德图纳海与李君启前去看望，这时张勋已口齿不清，文秘万绳拭解释："督军之意是把义女许配给坦克敦布，不知二位同意否？"德、李二人忙说："督军赐婚，实乃天意……"张勋仍择订五月初九，为坦克敦布和李成春完婚。因张行走不便，特命万绳拭带重礼去锦州主婚。

溥仪在《我的前半生》曾记述，有一位姓爱新觉罗的人给他写信说："君不能学石敬塘做'儿皇帝'为虎作伥……万勿遗害国家，遗害人民……"这个写信人就是坦克敦布。"九一八"后，坦的姨父伪满洲国宫内府大臣熙洽多次拉他出去做事，他却视高官厚禄如粪土，不为所动，甘守清贫，幽居乡里。

旅顺肃亲王府

史　峻

大连市旅顺口区太阳沟新华大街九号，碧树掩映一幢二层青砖俄式小楼。这楼原为沙俄私人旅馆，建筑面积470平方米，院落占地27000平方米。1904年日俄战后，此楼被日军占据。1911年清朝覆灭后，肃亲王善耆在日本军方庇护下亡命旅顺，这座旅馆就被辟为肃亲王府。

肃亲王善耆是皇太极长子豪格第十代嫡系子孙。他梦寐以求恢复清室，被日本少壮派军人视为利用的对象。1912年他勾结日本参谋本部的高山大佐和浪人川岛浪速，策划“满蒙独立”。翌年，不惜将亲生第十四女金璧辉过继给川岛浪速，以进一步投靠日本，实现其“满蒙独立”梦呓。他以肃亲王府为据点，网罗清室馀孽旧臣，策划密谋，处心积虑，为恢复清室拼命活动。同时，也以旅顺为基地，千方百计地笼络日本军政要员。为此，他曾多次向白玉山存放日本侵占旅顺死去的士卒骨灰的“纳骨祠”捐资赠款，以表达他对日本帝国的忠心。

1922年，由于他的复辟梦未能实现，终于忧郁而死。1931年，溥仪与婉容自天津来旅顺，也曾在此处居住。

张作霖受命杀“三杰”

李　方

1911年辛亥革命后奉天省城惨杀张榕事件，是震惊东北的一件大事。张榕是奉天抚顺人,1903年就学于北京译文馆,专攻俄文。他与吴樾交好，曾合谋炸出洋考察宪政的五大臣不幸失败,吴樾身殉,张榕被捕,入天津监狱,后越狱逃往日本,加入同盟会。1910年奉孙中山命赴大连活动,策应辛亥武昌起义。张由大连来奉,组成“奉天联合急进会”,密谋反清独立,被东三省总督赵尔巽和号称奉天“三狼”(袁金铠、于冲汉、王树翰)之一的袁金铠探知。按预谋,在1912年1月23日晚,由袁在奉天西关平康里德义楼“宴请”张榕、张作霖。宴会中,袁“先告辞而出”。宴罢,张作霖引张榕出德义楼,至平康里深处,张作霖预先埋伏的两个便衣特务同时开枪,张榕中弹牺牲,时年二十九岁。同时城内被杀的还有满人恒宝昆(人称恒六)和奉天《国民报》编辑田亚斌，这就是震惊一时的惨杀奉天革命三杰的事件。

生死不同姓

湾　涛

金州地区曲姓人，活着时写“曲”姓，去世之后在族谱上就变成“鞠”姓，故称“活着曲，死后鞠”。

清代时曲姓人原本姓鞠。鞠氏有人在京城当官，人称鞠大人。鞠大人精通五经六艺，又为人正直，疾世愤俗。一次鞠大人酒后赋诗，不慎违了皇帝讳，被他人举报，当即被杀。圣旨传来，罪诛九族。不几日，鞠氏受害者累不胜数。金州有位清官见杀人太多，后来抓到姓鞠的人时，便故意大声问：大胆刁民，究竟姓“鞠”还是姓“曲”！鞠氏明白是县官大老爷在救他们于水火，便纷纷改口姓曲，以避杀身之祸。从此鞠姓人氏不敢再称鞠氏，以“曲”代“鞠”。一因音似，二有蒙冤受曲之意。这才有“活着曲，死后鞠”的怪事。至今曲、鞠二姓仍自认一家。

一份伪证的出笼

宾　籍

民国十六年(1927)4月,张作霖在驻华外国使团策动下,派京师警察厅搜查苏联大使馆,逮捕李大钊等多人,查获大量文件书籍。警察厅遂组成一个翻译委员会,派前驻海参崴总领事王之相为主任。张作霖告诉警察总监陈兴亚,应该把张家口交涉特派员张国忱调来办理此事,每天译出的东西,要油印出来,送十份给他看。过了些天,张作霖对张国忱说,翻出来的东西没多大意思,没有可以向国际宣传赤化的材料,要查找能够引起国际注意的东西。张国忱遂在译员中物色一个白俄分子，他是哈尔滨俄文《喇叭报》的记者，授意他假造一份宣传赤化的材料。根据这份伪证，张作霖宣布苏联大使馆不遵守国际法，违反国际惯例，窝藏蓄意赤化和颠覆中国的叛乱分子。用以混淆视听，欺骗舆论。

蒙疆经略使的壁画

龙　飞

民国十年(1921)5月徐世昌以大总统名义，特任东三省巡阅使张作霖兼蒙疆经略使。张踌躇满志，得意洋洋，想到当时占据外蒙的是被苏联红军击溃的白俄残部，不堪一击，决定趁势打几个漂亮仗，于是积极进行远征外蒙的军事准备。计划分三路向库伦进攻：东路从热河出发，兵力以汲金纯统率的第二十八师为主；南路从张家口北进，兵力以张景惠的暂编奉天陆军第一师为主；北路从海拉尔西进，兵力以奉天陆军第二十九师为主，由黑龙江督军吴俊升指挥。张作霖本人决定统帅三路人马亲征，预定带文武随员四十馀人，卫队一营，先到哈尔滨，然后西行到海拉尔，从呼伦贝尔沿克鲁伦河西进，长征库伦。值得注意的是此举颇得日本关东军和南满铁路株式会社的大力赞助，为之运送部队并编组贵宾专列。张的日本军事顾问本庄繁大佐

(“九一八”事变元凶,时任关东军司令),也要求一同前往。张还设想平定库伦后,乘汽车从库伦横越大沙漠南下,经张家口,以凯旋大将军姿态进入北京。

正在张作霖狂热准备远征之际，外蒙形势突然发生巨变,苏联红军由赤塔进抵恰克图,长驱直入，将盘踞外蒙的白俄温格尔将军所部彻底击溃,蒙古革命党组成蒙古人民政府。张作霖看到外蒙情况突变,只好偃旗息鼓。

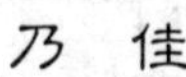

张作霖电质黎元洪

乃　佳

民国六年(1917)7月1日,安徽督军张勋,抬出清室废帝溥仪实行复辟，不到旬日就彻底完蛋了。从此“复辟”两字臭不可闻,谁也不愿沾上一点腥味。在天津作寓公的下野大总统黎元洪,一次接待上海英文《字林西报》记者采访,谈到奉天张作霖拉拢蒙古一些王公，似有复辟野心。《字林西报》就将黎的谈话发表出来,张作霖闻知,勃然大怒,叫秘书厅打电报质问黎。秘书们认为黎是前任总统,给他的函电应该讲究些,起了一份四六排联的骈体文，由罗秘书拿着给张念,并加以讲解。张越听越不耐烦,没等罗秘书念完,他说:“不要再念了,你们秘书厅,就有这种本事，能把很明白的事说的糊里糊涂。拿回去等你们抽足大烟了，脑筋清醒些再写。”罗秘书第二次把重拟电稿再念给张听：“天津法租界黎宋卿先生鉴：谓霖复辟，何所据而云然，盼复。张作霖。”张问电稿是谁起的，罗说袁理事长(袁金铠，时任中东铁路理事长)来串门，是他写的。张说：“袁六爷就是比你们强，能把话说明白。”

军警之争

刘玉岐

1916年，张作霖占据了奉天督军兼省长的宝座。昔日草莽英雄，今日君临高位，颇有汉高祖登基之势，并仿其语曰：“吾此位得自马上，然不可马上治之。地方贤俊，如不我弃，当不辞卑尊厚币以招之。”于是在原有的绿林兄弟之外，又招纳了一批军校出身的军官，网罗一批官僚文人政客。

由王永江出任警务处长兼省会警察厅长就是一例。王虽缺疆场驰骋之勇，却有运筹帷幄之谋。王不负重托，上任后，雷厉风行，厘定警章，严肃警风。当时驻省城的汤玉麟旅多为绿林出身，一切随心所欲，军纪松弛。汤妄以本部兵强将勇骄满自恃，不惟不知及时修明政治，也不如期整饬部队，坐视官兵日趋腐化败落。一次，汤

玉麟的部下在北市场平康里寻衅滋事，不听警察劝阻，警察将滋事人扭送警务处关押。汤闻讯怒不可遏，亲自到警务处要人，王永江未准。汤见辱骂、恫吓无济于事，便急匆匆地调兵遣将包围了警务处。王永江虽文质彬彬，素与省长无甚交谊，却也不甘示弱，乃命全体武装警察准备反击。军警双方怒目以视，枪口相对。一场军警火拼，大有一触即发之势。汤部署围困妥当后，便去省署找拜把兄弟张作霖，要求对王撤职严惩。王知张、汤为绿林兄弟，患难相从，世故很深，恐斗不过汤，但为正社风，履职尽责，既使失官也不让权贵为所欲为。出乎人们的预料，张作霖不仅没准汤玉麟的状，还严加斥责，令其立即撤兵，向警方赔礼。王永江为免受诘难，兵退后即抱病离职，去汤岗子疗养。汤玉麟一气之下，率所部出城去投妄图取代张作霖的冯麟阁。后经张作霖安慰劝解，汤、王两人和好如初。后来一个成为能征善战的骁将，一个成为当家理财的能手，共同辅佐张作霖。

孙中山致信张作霖、王永江

孙宝田

王永江，是张作霖手下智囊团成员，“文化派”首领。后因张作霖屡开战端，角逐中原，连年用兵，财源耗竭，民生日蹙，王永江痛感难以为继，被迫呈请辞职。

日本投降后，与王永江共事多年的前奉天省公署顾问日本人岩德也的儿子，曾将孙中山写给王永江的七封信的照相底片交给王永江长子王贤泌。

第一封是在民国十二年(1923)2月写的，信中大意是："去年仲冬，派季新(汪精卫)抵奉，会晤雨亭将军。张将军同意资助粤军五十万元，但至今尚未收到，岷源兄身为省长兼东三省官银号督办，说话影响之大莫过于兄，请能以助之否？……"

缘1922年4月直奉战争，奉旅失败，北京政府免去张作霖本兼各职。在这种情况下，张感到孤立，又急于向直系复仇，同年9月派人赴广州联络孙中山。孙中山于11月20日派汪精卫到奉天与张商讨共同反直问题，张同意资助粤军五十万元。

后面六封信内容大致相同，每次收到奉张接济后，除了感谢张作霖，还要另书感激王永江。这六封信时间是在1923年至1924年间，从信中看，奉张资助孙中山的军费已超过百万元。1923年11月25日，孙中山托叶恭绰带信给张作霖，对张的多次接济表示感谢，"一年以来，屡蒙我公资助，得以收拾馀烬……而广州根本之地得以复还，此皆公之大力所玉成也"。

孙传芳为何离奉

任作楫

1929年1月10日，杨宇霆、常荫槐被处死。翌晨，孙传芳仓惶出走大连。第三天，我接到他由大连寄来的一封信，详述离奉原因，主要辞句有："我对于东北，无尺寸之功，而位居诸大老之上，平时无事尚人言啧啧，而况此次杨、常事件之发生；我来东北后，本想在军事方面对汉帅有所匡助，但形势有所不能；又想在政治方面能有所贡献，而情况亦有所不许；最后想在实业方面略尽绵薄，亦未能做到。长此下去，对于汉帅毫无裨益，对于我身边危险实大，此兄所以不能不离奉也。"这充分说明他离奉是不想再回来了。

后来，我从孙传芳向张学良将军的三次建议中，才真正弄明白他离奉的根本原因，是他与张学良将军在政治上有分歧。

1929年，孙的长子家震在大连结婚，我去祝贺。在一个僻静的房间里，孙对我说了以下的话，嘱我回奉转达于张学良将军。他说："东北处于日、俄两大国之间，外交方面极为重要。为东北之计，必须亲日联俄，方能图存。稍一不慎，外患立至。汉帅只注意国内而疏于对外，危机已伏。我自到大连以来，与各方面接触，深为忧虑。

现在日本蠢蠢欲动，不可不早为之计。至于对内，东北远处边陲，在地理上占有利条件，把山海关一守，其他无庸顾虑。对南京方面，只要不即不离，虚与委蛇，亦足以应付裕如。”我回奉后，就把他的话向张将军一一转述。

东北讲武堂

郑殿起

张作霖任东三省巡阅使后，于 1919 年 3 月成立东三省陆军讲武堂，它是培养陆军军官的学校。校址在沈阳城小东边门外(即今老龙口酒厂的东侧)，张自兼堂长，从第四期起张学良兼任监督。

东北讲武堂各期训练的内容与日本陆军士官学校相同，教材除军制教程外，都是翻译日本陆军士官学校的教程和典范令。训练时间由于学员、学生来源不同而异，第一、二、三、四、五、六、八、九各期学员，绝大部分是调训部队在职行伍出身的军官，训练时间一年到一年半。张学良是由现职团长入第一期炮科的。第七、第十两期学生绝大多数是从社会上招考的具有中学文化程度的学生，训练时间为两年。第十一期学员全部是调训部队在职的行伍出身的军官，由于文化程度高低不同，计划分为一年半或两年毕

业。至“九一八”事变时仅训练九个月即行结业。第九期起由于学员、学生人数增多，校址由沈阳城小东边门外，迁到沈阳东郊东山咀子营房改称东北讲武堂。

东北讲武堂从1919年开办第一期起，至“九一八”事变时，共训练了十一期，学员、学生总计八千九百馀名。在东北军中，上自最高统帅张学良，下至连、排长，大多数都是讲武堂毕业的，对于提高部队的素质起到很大作用。

杨宇霆的“选票”

崔文瑾

杨宇霆(1886—1929)字麟阁，辽宁法库人。1911年于日本陆军士官学校毕业，回国后曾任陆军第三镇队官、东三省讲武堂教官、奉天军械厂厂长、奉天督军公署参谋长等职。1918年2月，杨与徐树铮策划了“秦皇岛截械”。因杨与徐拟以劫获北京政府从日本购进的二万七千馀支枪械扩充三个旅，事败，被张作霖解除了本兼各职。杨遂依附徐树铮，先后任北京总统府侍从武官、西北边防司令部参谋等职。1922年2月，张作霖将杨召回，任东三省巡阅使署总参议。杨精明干练，人称“小诸葛”。他对张的礼遇奋力图报，积极为张作霖整军经武，扩充势力，入关作战，献计献策。张对杨亦倚之如臂。张作霖死后，杨以元老重臣自居，觊觎地方大权。

1928年10月，日本人在奉天所办的《满洲报》搞一次东三省军政长官的民意测验。报端印有张学良、杨宇霆、张作相、万福麟、常荫槐等数十人的选票，让读者每日填上一名自己意选的东北行政长官和三名(奉、吉、黑)主席，然后剪下寄回报社。杨宇霆抓住这一机会，派人大量购买该报，让人在选票上填好他的名字，陆续寄给报馆。事后，由杨府卖出的剪下选票的废《满洲报》累数千斤之重。杨这样做，是为借此表示他是众望所归的担当大任之材。智者千虑必有一失，此举也加深了他与张学良之间的芥蒂，加之其他诸多原因，终招致了日后的杀身之祸。

种罂粟筹军费

天　奇

1927年东北军已据有北京、天津、直隶和山东各省市，又驱兵向河南挺进。战事连连、军费颇巨。由省长王永江聚敛多年的财富已耗罄尽。为了筹措军费，1927年春，张作霖下令在奉天省境内准种罂粟，每日(以后改称垧)土地交纳烟税现大洋二十四元（比种粮食作物的税高十倍)。由各村村长将一村农民所种罂粟的日数报到所在地区的警察派出所，由警察派出所分春夏两季收缴烟税。许多农民虽然知道种罂粟比种大田获利多，但怕在罂粟收割后全部没收，不敢种。因为以前是禁种禁吸鸦片烟的，所以敢种罂粟的农民为数不多。沈阳市苏家屯区南红菱村有耕地八百零八日，只种了二十九日，并且没有种一日以上的，多是种半日或少于半日。种的人说："试试看吧，即或没收啦损失也不大。"当时我家种了一日罂粟，除交烟税和各种花销外，净剩现大洋一千五百元，能买一日地还有馀。张作霖下令准种罂粟，自然筹到大量军费，但不知害了多少同胞。

张作霖力荐汲金纯

张　外

民国十年(1921)5月30日，北京政府特任东三省巡阅使张作霖兼蒙疆经略使。事先张和国务总理靳云鹏已有秘约，张尽力支持靳的内阁，靳答应把热河归入蒙疆经略使范围。对派谁去当热河都统，张作霖力荐第二十八师师长汲金纯，并连电国务院催促发表。靳云鹏考虑到现任热河都统是北洋老毅军宿将姜桂题，姜调转什么职位，需要仔细筹划，因而迟迟未能作出决定。张作霖感觉直系曹锟、吴佩孚要这要那，北京政府百依百顺，惟独对他拟办的事拖着不办，大动肝火。于是派他的参谋长乔汉章即去北京，面见靳总理，张对乔说："你把我的蒙疆经略使大印带着，见到靳邪眼子，把大印向他怀里一摔，说我不干了，热河我不要了。"靳云鹏无奈，才于民国十年9月10日发布大总统令，特任汲金纯为热河特别行政区都统。

王永江不睬张作霖

全 恕

张作霖的创业，军事上有总参议杨宇霆出谋划策，张倚之甚重，经济上有代理奉天省长王永江经营谋划开辟财源，可谓左膀右臂。

民国十五年(1926)春，王永江深感张作霖、杨宇霆无视东北财力，大兴军火工业，屡次发动战事，所有需索已经不是他这个省长所能应承得了的。遂与张的政见有所分歧，于是他前后两次以眼疾为词向张提出辞呈，返归故里金州(今大连市金州区)。

王的辞职对张作霖无疑是沉重的打击，故派专使前往慰留。张学良亦由锦州直赴金州劝阻，但王永江辞意已决，不为所动。张再委与王永江素称敦睦，过从甚密的吴俊升抵金州与王晤面。吴、王见面，大有旧友重逢之慨，但在谈及复任时，王却正言答曰："有劳老兄大驾，词意恳切，理当遵令，但目疾有加无已，是时不能出门一步，情愿许待治愈，然后晋省谒见大帅有所面谢。"

是年夏，张作霖访问旅大，归途专列经过金州车站，张料想退居的王永江必来迎接，遂停车以待。不料王竟不屑前来晤面。张作霖等候许久，甚觉失望，只好开车离去。

东北教导队

仁　寿

民国十一年（1922)4月发生了第二次奉直战争，奉军战败，张作霖被北京政府免去本兼各职，听候查办。张作霖认为战败的原因是军队训练太差，官兵不学无术，一些师、旅长都是绿林伙伴，未受过正式军官学校教育，士兵多是目不识丁的无业游民。只有张学良、郭松龄的三、八两旅和他俩所指挥的少数部队经过严格训练，所以战斗力强，军纪也好，未受到友军溃败的影响，能完整地退回关外，并能守住山海关的边境，保全东三省的地盘。

张作霖退回关外后，为了报战败之仇，首先着眼军官、军士的训练，除加强培训军官的讲武堂外，又成立了东三省陆军军士教导队(1928年冬改称东北教导队),招考高小毕业、年龄在十八岁至二十二岁之间的青年，经过六个月的训练,毕业后分派到部队当中士班长,以提高军队的战斗力。

教导队从成立至1930年春共训练六期,毕业学生约一万人。在这些学生中,最初虽是以当军士班长而培训的,但其中不少人,经过在部队的锻炼升为军官,进入讲武堂深造,还有考入国内外各兵科学校和陆军大学的，以后陆续成为东北军的骨干指挥官。

脸谱由自己画

苑　鸣

民国初期,奉天(今沈阳市)小西门里石头市鸿泰轩,是全城著名的头一家大茶馆。奉天书曲研究会会长评书家李庆奎,经常在这里说书。他的《精忠说岳》、《明英烈》、《隋唐演义》、《盗马金枪》、《杨家将》五部书,很受广大听众欢迎。张作霖高兴时也找他去帅府说书。一次正在说书时,突然警务处长求见,说东边道发生重大外交事件。李庆奎立即退出房间,到院内回避。张作霖很惊异，认为这个说书艺人，必然懂得些公事,问:“你以前当过什么差事？”李答:“甲午战争时,曾在左宝贵翼长营里当过旗牌小官。”张点点头。当说书中提到凡是忠良人士,唱戏人都给打个红脸，如关公；刚正不屈的人给画个黑脸,如包公;奸佞坏蛋就给画个白脸,如曹操。张听到这里,突然不抽大烟了,从炕上坐起来问:“你看我将来打个什么脸?”李庆奎说:“回禀大帅,这要大帅自己决定,您要个什么脸,就打什么脸。”

鲍贵卿与邢姑娘

陈志新

鲍贵卿的发妻是清末正定练军总兵叶志超的侍女,先于鲍而死去,留下满堂儿女。鲍继娶王氏,系其女儿的同学,他们的结合就是其女儿促成的。王氏与鲍也未能白头偕老,王仍死在鲍的前头。鲍贵卿晚年隐居津门,名为寻找侍女,却从妓院赎出了尚未破身的杨柳青的邢姑娘陪伴他。鲍贵卿对她很有感情,想扶她为正室,但遭到子女们的强烈反对,未能如愿,虽然她给他生了儿女，但一直称为邢姑娘，在鲍家没有地位。

1928 年 6 月 3 日，张作霖乘专车离开北平退往关外。鲍贵卿随车同行，当专车途经天津时，鲍匆忙下车去医院看望出生不久就住院的小儿子鲍丰,未能与张作霖同时返奉。讵料张作霖专车遭日本人暗算，张被炸身亡，鲍贵卿却幸免于难。事后，鲍贵卿常感慨地说："是我的小儿子救了我这条命。"从此鲍贵卿更视幼子为掌上明珠。母以子贵，鲍贵卿爱屋及乌，对邢姑娘更是百般宠幸。

张宗昌之死

崔文瑾

张宗昌(1881—1932)字效坤，山东掖县人，出身绿林。辛亥革命后，率所部百馀人投山东民军，随后到上海在陈其美的光复军中当团长。1916年他杀害陈其美，投靠冯国璋，被擢为旅长。1921年所部在吉安闹饷，被江西督军陈光远解散，他只身北逃，投靠张作霖，曾任三旅旅长和第二军副军长。1925年，旋任山东军务督办。1926年初，与李景林合组直鲁联军，对冯玉祥的国民军作战。张宗昌在督鲁期间，穷兵黩武，割据一方，横征暴敛，荼毒百姓，残民以逞，人民对其切齿痛恨。有人将诅咒他的话编成歌谣："也有葱，也有蒜，锅里煮的张督办！""也有蒜，也有姜，锅里煮的张宗昌！"教儿童到处传唱。

1932年8月，张宗昌应韩复榘的邀请回到济南，韩把他视为贵宾隆重接待。9月3日，张乘晚6时的特别快车返天津。山东省政府参议郑

继成趁张登车之机,用手枪将他击毙。郑对送行的人们高喊:"我是为叔父报仇,现在投案自首。"原来郑的叔父郑金声在冯玉祥部当军长。1928年北伐时为张宗昌所俘,张败退时将其叔父处死。于是郑继成在齐鲁大地成了除暴安民的英雄。但根据检验吏的验断书,"张宗昌头部致命的一弹,系步枪弹。郑当时拿的是手枪,因此说郑不是杀人犯"。时隔不久,郑继成便大摇大摆地走出了看守所。

张宗昌此次来济南时带有一支最新式的手枪,被石友三看见了,极口称赞,连声夸奖,张宗昌得意忘形,就将手枪慨然赠给了石。实际上是为郑继成及其他送行者的安全,缴了张的械。张枪法不错,如果有那支枪在手,郑继成就不一定是他的对手了。张宗昌头部所中的子弹,是被韩复榘预先埋伏在另一列车上的人开枪打中的。而郑继成的"英雄",则是韩复榘送给他的虚荣。

梁忠甲其人

龙　正

梁忠甲是奉天省梨树县人,韩柳墅炮兵学校第一期毕业生。初到驻防长春的曹锟新建陆军第三镇见习。1913年他转入吴俊升的中央骑兵第二旅任团附,驻在郑家屯,长时间供职在黑龙江省,以后晋升为东北陆军第十五旅旅长,兼中东路哈满护路军司令。1929 年发生的“防俄”战役,他正是满洲里方面的总指挥。这一带每到 11 月中旬,最低温度在摄氏零下三四十度,晴天也飘小雪花,两三天就下一次大雪,所有湖沼江河均已结冰,成为一望无际的白色大冰场。坦克、炮兵等特种兵行动畅通无阻。苏军利用天候切断了满洲里与扎赉诺尔的联络线。扎赉诺尔守军东北陆军第十七旅旅长韩光第阵亡,扎赉诺尔失陷。苏军陆空联合向我满洲里猛攻,东北军伤亡甚重,黑龙江万福麟副长官电示“相机突围”。在突围中不断遭到苏军的截击,十五旅副旅长苦战阵亡,中苏两军在满洲里市内发生激烈的白刃战。日本驻满洲里领事要求东北军放下武器实行停火。苏军主力随即进入市内,苏军要求梁司令去大马乌利(在满洲里北三十公里),被俘士兵约六千馀人,分别被送往伊尔库次克、赤塔、伯力三处。12 月中旬,驻赤塔苏军布留赫尔(加伦)将军乘车携带很多食品,到大马乌利慰问梁司令,并通知中苏双方外交官正在伯力谈判中,你们不日即可回国。1930 年 1 月伯力十二条草约签字后,梁司令遂回到满洲里,不久率部转驻海拉尔进行整训。梁司令住在原俄亚道胜银行经理的寝室,因高壁炉漏气,煤气中毒窒息而死,终年四十六岁。

北陵别墅

张　彪

民国十七年(1928),张学良继其父主政东北后,为了社交和与驻奉各国外交人员应酬,乃在北陵(清太宗皇太极的陵寝)修建一所别墅,地址在今北陵公园南侧,泰山路之南,北陵大街路西,新开河下马碑以北,占地约有二十馀亩,内有一所大厅和三十多间房子。张时常到别墅举行酒会和跳交际舞。军政要人如省长翟文选、军令厅长王树常、军事厅长荣臻等也不时前往。外宾有驻奉各国领事和六国会馆的一些西方官绅。某日,大帅府许多显宦相聚,袁金铠说,听到最近羲人 (翟文选字) 兄常在北陵别墅讲罗岩经,宣扬佛法。只是那里距日本站近,按"千金之子坐不垂堂"之义,也是一处险地,盼望少去那里。警务处长黄显声插话说,洁翁(指袁)说得很对,来去别墅必须通过南满铁路桥洞子,如果鬼子在洞子上架挺重机枪, 来往车辆和别墅都在它的射程之内,非常不安全。要修别墅,为什么不去东陵附近修,那里有东大营,有讲武堂的学生驻守可以护卫。张听了以后,就很少去了。特别是"九一八"事变前半年,他就不去北陵别墅了。

宋美龄为张学良擦泪

李玉龙

民国二十三年(1934)9月18日,张学良在湖北省麻城县召开九一八事变三周年纪念会。

大会宣布开始后,张学良刚讲几句话,突见队伍里一位年轻军官跑到台前,行罢军礼,向台上的张学良报告说:“副司令, 我是一〇五师某营营长,叫王炳田,我有几句话想对副司令和在座的各位长官及弟兄们说说。” 张学良点头许诺。王转身面对全体官兵说:“三年来,日寇在我们家乡的土地上烧、杀、奸、掠无所不为,抚顺平顶山三个村庄的同胞,上至八旬老人,下至怀中婴儿,全被日军杀光,无一幸免……鲜血染红了辽河水,父老乡亲被迫远走他乡。做为一个出生在东北并在东北的土地上成长起来的军人,眼看着自己的同胞被残杀、家园被践踏,却只能望空兴叹,副司令,您也是东北人,千万别忘了东北是我们的家乡呀! 我代表东北军全体官兵向您请命,您就带我们打回东北吧……”王炳田话未说完,部队就唱起了:“万里长城万里长,长城外面是故乡。高粱肥、大豆香,遍地黄金少灾殃。自从大难平地起,奸淫虏掠苦难挡,奔他乡,骨肉离散父母丧,没齿难忘仇和恨,日夜思念回故

乡，大家拚命打回去，那怕鬼子逞豪强。”这歌声时急时缓，时高时低，如泣如诉，恰似万把钢刀直刺每个人的心房，台下官兵泣不成声，台上张学良也不禁潸然泪下。三年了，国恨家仇、兴衰荣辱在他心中凝聚着，仿佛是块重铅压得他喘不过气来。今天，他终于有机会可以发泄一下，将一腔怨仇全部倾泄出来。宋美龄见此情景深知劝解此刻的少帅是徒劳的，便站起宣布休会。之后从怀中掏出手帕走到张学良身边，深深地叹了口气：“汉卿，别这样儿，当心身体。”说罢，举臂为张学良擦去脸上的泪水，与何成浚一齐将张学良搀到台下，离开会场，乘车去武昌了。

张学良相亲

王贵忠

张、于两家联姻也同当时其他人家一样，首先从门当户对考虑，其次是两家权衡子女的才德而定婚的。

于凤至，字翔舟，生于1898年农历五月，奉天省怀德县南崴子乡大泉眼村（今属吉林公主岭市）。其父于文斗兼营农商，在郑家屯（今双辽）经营丰聚长商号，是当地著名的工商大户，并任县商务会会长。其母钱氏生于凤至兄妹三人，长兄于凤彩，次兄于凤翥。于凤至到郑家屯家塾上学，与堂兄、亲侄一起读书，不久又入官立学校。

1905年日俄战争以后，张作霖任奉天巡防营前路统领，奉命驻郑家屯至洮南一带，进剿草原上陶克陶胡等匪帮。张作霖的指挥部设在于文斗的丰聚长粮栈院内，两人遂成知交。有一天，粮栈掌柜在客房里为于家人批八字，当批到于凤至的八字时，掌柜惊呼："此女命格'天三奇'，乃贵人，乃凤命！"正值张作霖进院听到此言，落坐之后，张作霖见桌上命帖，问及此事。于文斗回答说："小女凤至，谈笑而已。"张说："我军中亦有通'子平'者，拿去对对。"日后，张、于在客厅喝茶，凤至出来与张见礼，张作霖见于凤至气度不凡，就托粮栈掌柜向于家为子说媒，于家初步同意定亲。

1912年初冬，张作霖从沈阳带来长子张学良，两家子女见面，皆大欢喜。第二天，张学良在于家粮栈院子里玩一个上午，在苫粮的席子筒里钻来钻去，把新做的大缎子面棉衣裤都刮开了花。午饭时，大家看他那样子，都不免笑起来。于母说："谁知道小六子这样淘气呀！"

张学良在于家住了三天才回奉天。

为朱庆澜正名

惠德安

“九一八”事变以前当过黑龙江省炮兵团长的朴炳珊，字大同，以后充任东北军第五十七军副军长，在长城抗战时期，因未得到南洋华侨抗日捐款，竟向南京国民政府诬告侨捐经手人朱庆澜分配不公，有侵吞等弊。事为张学良闻知，将朴召至北平顺承王府私邸，忿加斥责说：“朱将军一生廉洁，国内外无不尊仰。当年他在黑龙江当督军时，师长许兰洲叛变，他是只身走出的，什么东西都没带。中东铁路局赠送给他的金卢布和砂金，他说那是俄国路局送给督军署的，应该算是公家东西，我朱某不能据为己有。你朴炳珊胆大妄为，给东北人丢大脸。你一定去上海，面见朱将军赔礼道歉，撤销原诉。”塘沽协定后解散抗日后援会时，朱指示该会出纳人员，必须将所有收支账目，送请上海立信会计事务所，请潘序伦、徐永祚两大会计师审核。结果以两位会计师名义，在上海《申报》、《新闻报》刊登启事，公开证明“市井流言，实属无稽之谈”，以正视听。

张学良放行“赴京请愿团”

里　蓉

“九一八”事变后，全国民众群情激愤，强烈谴责蒋介石的不抵抗主义，纷纷要求对日作战，收复国土。特别是东北流亡到北平的大学学生与民众团体，更是义愤填膺。1931年11月5日，他们组织六百馀人的“赴南京请愿团”，浩浩荡荡奔往彰义门火车站，沿途散发《请愿团宣言》，要求乘车南下，向国民党中央党部请愿，场面异常热烈，得到了成千上万群众的支持。正当学生们强烈要求北平当局放行时，张学良来到车站，他是奉蒋介石电令前来劝阻学生南下的。张学良望着眼前数以千计的学生，内心充满矛盾，一方面不能违背蒋介石的电令，另一方面又十分同情学生的爱国要求。伫望良久，终于为学生们的爱国热情所打动，挥手将“赴京请愿团”全部放行。事后，张学良为了应付蒋介石，11月7日，给南京发出如下电报：

各校学生占卧前门、丰台路轨，日夜不散，不服解散，不听劝导；倘以武力制止，则该站紧邻使馆，又恐别滋事端。用柔，用刚，为术俱穷。而平津交通之阻塞已阅四日，以至平汉、平绥车站亦被学生占据。外交团方

面，纷纷援辛丑和约换文来相诘责，倘再不解决，当此外交危迫之际，恐招不良之影响。本晨复与各校负责人再三切劝，始允将大部分解散，其馀一小部分准予登车南下。但即此一次为止，无论何校，不得再援此例。交涉至此，始获解决，同时恢复交通。学良明知中央为难，万不愿任其多事。无如事属两难，不得不权其缓急，伏乞鉴谅。

张学良将军的这一爱国之举，得到北平各界特别是青年学生的理解和支持，也表明了张学良将军的爱国之心。

“海圻”加入东北舰队

乃　佳

本世纪初英皇加冕，中国曾派最大的巡洋舰“海圻”出访伦敦，表示祝贺，然后应华侨要求访问美洲。1917 年孙中山先生率舰南下护法，有“海圻”、“海琛”、“肇和”三艘巡洋舰，“永翔”、“楚豫”两炮舰，一艘鱼雷艇“国安”，是一支实力相当强的舰队。其中以“海圻”速度快威力大，被称为“海上王”，它是 1894 年甲午战争后四年，由英国购进的新型舰。由于直系军阀曹锟、吴佩孚攫夺了政权，山东帮海军头面人物温树德，在广州黄埔谋取了护法舰队的领导权，乃率舰北航到青岛，改名为渤海舰队。1922 年第一次直奉战时，渤海舰队从海上给奉军以很大威胁，沈鸿烈所率的奉军几艘舰艇，不可能与之对抗。1924 年第二次直奉战争，奉军获胜，曹锟被囚，吴佩孚败退武汉，温树德率领的渤海舰队，不得不蛰伏于青岛，官兵散漫，纪律废弛，欠饷已达数月，尤其军舰失修，船底附着蚌壳厚有尺许，速度迟缓，动转困难，“海圻”乃于 1927 年驶往旅顺检修。修完后，当开出旅顺口时，在舰长袁方乔等领导下，发出通电，宣布归附东北，全舰官兵欢腾异常，很快领到欠薪，袁舰长等以次均有提升，“海圻”奉命编入东北海防舰队。

“九一八”见闻

宋 黎

“九一八”事变那天晚上，东北大学学生会为武汉赈灾募捐，组织同学们看电影。正在放映时，忽闻炮声隆隆，炮弹从房顶呼啸而过；接着北大营附近枪声四起，同学们大惊。为维护学校秩序和安全，我们立即组织护校队。

第二天一早，我跟“国民常识促进会”的张金辉、王牺光等同学进城了解情况。真是一夜之间，沧桑巨变！往日喧嚣的沈阳城，现在噤若寒蝉，家家关门闭户，路上行人寥寥。大街、胡同皆是趾高气扬、列队行进的日本兵和摇头晃脑的日本浪人。

一进大西门，首先映入我们眼帘的，就是横曝街头的几具被日本人杀害的中国人尸体，惨不忍睹！中街广生行隔壁的大众国货商店，已被日军查封，车向忱题写的匾额和窗户上都留有被日本兵用刺刀戳的一个个窟窿；国货商店的商品被扔得满地皆是；大南门里的青年会大楼已被日军包围。我默默地折向皇姑屯车站，只见铁路上停着一辆辆载着大炮的车厢，这是东北军准备运往关内的，而今已落到日本侵略者手中。铁路两旁，横一个竖一个地躺着身中日军枪弹的中国同胞。穿过桥洞，猛然看到东北大学工厂的大门前守着几个日本浪人，看样子工厂已被敌人占领，我愤懑已极，旋即回到学校。

东大学生这时人心惶惶，纷纷转移，校园空荡荡的。我们的心沉甸甸的，都为敌人没费吹灰之力就占领了沈阳城而愤恨难平。张金辉、张希尧和我一起商议："国家兴亡，匹夫有责"，我们不能坐视国土沦丧，我们要大声疾呼，进行抗敌复土的宣传，掀起救亡活动。说干就干，我们乘火车，向关内进发。到达锦州时，我们向东北军独立步兵三旅张禹久的部下进行了慷慨激昂地宣传，恳请他们把枪口对准日本侵略者。此时，张禹久正在大办婚事，娶第三房姨太太。不少妖艳的女人、奇装的男人，成群结队，吵吵嚷嚷来赴宴。看到国难当头，这些持枪的卫士却在文恬武嬉，花天酒地，寻欢作乐。如此丧失民族气节的官吏，如此的腐败昏庸，实在令人痛心。

日军第一次炸张作霖

云 省

辛亥革命推倒清朝皇帝，以清廷馀孽肃亲王善耆和大官僚升允为首的一批人，流亡在日本势力范围的大连，组织“宗社党”，企图煽动满蒙封建王公，脱离民国，再建清朝。“宗社党”的活动得到日本军方的支持，但受到张作霖的限制。于是日本土井少将等人策划除掉张作霖，决定由伊达顺之助、陆军少尉三村丰等组成“满蒙决死团”，执行杀害张作霖的任务。1916 年 5 月，驻旅顺的日本关东都督中村雄次郎来奉天访问，张作霖率部下汤玉麟等人，前往南满铁路奉天车站迎接。归途经过小西边门时，日本陆军少尉三村丰等，从一个临街窗口投出一枚炸弹，未能击中，只炸伤些随从护卫，张作霖临危生智，弃车乘马，更换士兵服装，绕道奔返军署，日人阴谋未能得逞。

张学良为何改生日

郭景珊

1901年春，张作霖由北镇县中安堡来到八角台(今台安县城)。因当时兵荒马乱携眷不便，张便派人将妻赵氏和女儿首芳送到张家窝堡赵明德家(赵氏的叔伯侄)隐居。同年6月4日，张学良将军诞生在赵明德家的一间草房里。按农历纪年和天干、地支，张学良的生辰是：辛丑年、癸巳月、癸丑日、壬子时。

少帅的生日既然是6月4日，为什么至今有的资料却写成“6月3日”呢？其因由在于：6月4日这一天，既是少帅的生日，也是他父亲的遇难日。在其父遇难的第二年，张学良过生日那天，正当人们欢声笑语为他喜庆寿诞的时候，少帅当场遭到了五姨太寿夫人的严厉申斥。少帅当即醒悟：“喜庆”与“哀挽”不可同一天度过。从此，少帅为了避讳，便把自己的生日提前一天。这便是张学良改生日的缘故。

武岛杀人吃心

张直卿

1936年,我在西丰县老营厂学校当教员,学校同营厂警察署是邻院,仅一墙之隔,有小门相通。警察署因院小,经常借学校操场进行军事训练和体育活动,时间长了,我就熟悉了一些伪警察和日本指导官。初秋的一天,我正在教室里给学生上课,就听操场上有日本人吵嚷,同时,还听到有人被毒打的惨叫声。隔窗只见一伙伪警察持枪围着一个跪在操场上的三十多岁的中国人,营厂警察署的武岛指导官和其他几个日本人轮番骑在那个人身上,揪住头发,左右开弓打嘴巴子。还有个叫河野的日本人,拿把削指甲的小刀,照着青年的脸上就是一划,鲜血顺脸流下,真是惨不忍睹。这位青年农民死逼无奈,只好招认说:“我虽有心思去参加抗联,但没去成。”武岛指导官说:“他已经招认有心参加抗联,他的心坏了的。”当时便指使伪警察们,把这青年拖到学校房后的烤烟房北壕,只听两声枪响,就把这无辜青年残暴杀害了。

一会儿,武岛和翻译、伪警察都回来了,武岛乐颠颠地用手托着一个纸包,血淋淋的,他边走边说:“拿这颗心去做菜吃,吃了可以壮胆。”

张景惠题字

高　仑

1935年伪满洲国的国务总理郑孝胥下台，由谁接任？这是日本军国主义者一个大伤脑筋的问题。当时的关东军司令官南次郎和日本政府的内阁官员几经商讨，煞费苦心，用臧式毅吧，这个人智谋兼有，不好摆弄。启用别的大臣吧，似乎有点"声望"不够，难以胜任。衡量再三，最后一致认为起家辽西、出身绿林的张景惠这个人头脑简单，私心重利，效忠日本，可以控制。于是张景惠粉墨登场，出任伪国务总理大臣。

1939年9月，曾同何应钦签订何梅协定的日军梅津美治郎，出任关东军司令官兼驻满全权大使。上任不久，在关东军官邸宴请伪满总理大臣及各部、府的伪官显贵，席间杯觥交错，关东军司令官提议请张景惠挥毫题字，令手下人取来文房四宝。

张景惠则"当仁不让"，提笔就写，当纸上出现"四海兑"三个大字时，便再也写不下去了，颇有难色。适臧式毅在侧，俯首微声："请总理在兑字的左方填写个'忄'，而后在'悦'字下方写一'服'字，服即服装之服。"张听后落笔写完，大家一看方知道是"四海悦服"四个字。

人们不禁要问，张景惠为什么写成"四海兑"呢？揆其原意，他是打算写"四海兄弟"，即四海之内，皆兄弟也之意。没有料到弄到如此局面。人们观后，连连称赞：总理的字，别具格调，很有童气。实则不若高小一年级学生之大楷也。

金州"曲氏井"

金　涛

"曲氏井"原本是眼普通的民宅饮水井，只因甲午战争中，发生了一桩悲壮的故事，这眼井才流芳百世。

1894年11月6日，侵华日军攻占了辽东半岛南部重镇金州城。日军进城后，野蛮屠杀无辜居民。在城东街，日军将抓到的青壮年四十馀名，绑成一串，驱赶到西街铁匠炉前杀人放血搞人祭。还用刺刀逼迫居民到城下雷区走动(清军撤退时在城外布设了地雷)，用以排雷。

城西街曲氏是一大户人家。男人都随清军将领徐邦道到前线拒敌去了，家中仅剩姑嫂七人及三名儿童。日军闯入曲家，见是年轻妇女，关上街门欲行奸淫。为不受侮辱，姑嫂七人怀抱三童，先后跳入院中水井自尽。

战后，清廷收回金州城。官员王志修亲往曲

氏家中凭吊，并著诗传颂曲氏妇女英名，诗云："曲氏井，清且深，波光湛湛寒潭心。一家十人死一井，千秋身殒名不沉。"此后，这口水井便被称作"曲氏井"。

万 忠 墓

曲传林

旅顺白玉山东麓松柏深处，有一座庄严肃穆的陵园，它就是中日甲午战争中旅顺殉难同胞的墓地——万忠墓。

1894 年 10 月 24 日，日军在花园口登陆后，金州、大连湾相继失守。11 月 17 日，日军进犯旅顺，21 日旅顺失陷。随即，日军对旅顺人民进行了四天三夜的大屠杀。为了焚尸灭迹，他们抓了一些中国人组成抬尸队。队员们头系布条，臂戴袖章，上写"勿杀此人"。1895 年 2 月，殉难者尸体被全部集中于岭南花沟，日军用煤油将尸体焚化。然后，将骨灰装进三口棺材，象征性地葬于白玉山东麓，并立三盔坟。本来是被屠杀的平民，但所立木牌上却写着"清国将士阵亡之墓"，借此欺骗世人，掩盖其杀人罪行，而我国同胞则称之为"万人坑"。

战争结束后，日军撤出，清军宋庆部回防旅顺。为纪念死难同胞，由提调顾元勋主持在墓地树碑，亲书“万忠墓”三字。碑阴铭之曰：“光绪甲午十月，日本败盟，旅顺不守，官兵商民男妇被难者计一万八百馀名(按：实际应为一万八千馀名)，忠骸火化，骨灰丛葬于此。”以后每逢清明，旅顺各界和外地许多死难者的亲属都来此祭奠。

1905年日俄战争结束后，日本帝国主义取代了沙俄对大连的殖民统治。日本统治者对旅顺人民盛大的祭奠活动感到十分恐惧，怕由此而激发中国人民的民族仇恨。于是买通了日本浪人，乘夜深人静之时将“万忠墓”碑偷偷盗走，砌到了原旅顺医专的围墙里。墓碑可以盗走，但人们对亲人的怀念和对敌人的仇恨是永远不能磨灭的。大家一如既往，每逢清明仍然来此祭扫。

1922年旅顺华商公议会长陶旭亭，董事孟魁三等人发起募捐修万忠墓，建茅屋三间作享殿，另树一碑，碑文由华商公议会文书金弼臣手书。从此，万忠墓一扫过去荒凉的景象，每逢春秋大祭更是盛况空前。

1948年旅顺市民主政府号召各界人士捐款资助重修万忠墓，新建享殿瓦房三间，享殿门额横匾书有“永志不忘”四个大字。此时已找到了日军盗走的石碑，立于新碑之右侧。

铁匠刺日酋

俏 峰

1894年10月24日，侵华日军于庄河县花园口登陆后，一路烧杀向金州和旅顺进犯。是夜，日酋第一师团长山地元治住进李家屯(今新金县境内)一户李姓财主家。适逢来自金州的两名铁匠在李家做工，二人闻知日军罪行，怒火万丈，决心杀敌报仇。入夜，二人各操利刃潜入山地元治卧室外屋，趁卫兵抱枪酣睡，连刃两名士兵。进入内室后，便朝熟睡的山地元治卧床猛刺，因夜黑无光没能刺中。原来老奸巨滑的山地元治头朝里脚朝外合衣而卧，铁匠的尖刀正刺在两腿之间。因用力过猛，刀刃深及土炕坯缝之中，一时难以拔出。山地元治被惊醒后，一跃而起，二铁匠饮恨于屠刀之下。抗敌英雄虽未能如愿，但其壮举足以令山地元治胆寒。

耆儒巧戏日伪

刘大正

辽宁省著名教育家胡彦儒先生，是我青年时代在营口商科高中读书时的老师。他不满日本帝国主义对中国的侵略，一有机会就对敌伪进行戏弄。

一次，胡老师为了表示对日伪实行粮食管制的不满，从盖县家里返校时背回一袋土，到营口火车站出站时故意小跑，佯做走私粮食的样子。日伪铁路警察果然上当，随后狂吼直追。待赶到站外，扒开布袋，方知是土，日伪铁路警察又气又恼地吼道："为什么越叫你越跑？"胡老师冷冷地答道："这么重的东西，不快走岂不挨压。"围观者哄然大笑。日伪铁路警察饱受嘲笑却又无可奈何，只好悻悻走开。

1938年营口商科高中更名为省立营口第一国高。新来的副校长清田健次郎和学监高濑东一等日本人十分蛮横，经常凌辱中国教职员工。一次，因事争论，高濑张口便骂胡老师："混蛋！"胡老师当即回骂"混蛋！"高濑刚想撒野放刁，只见胡老师怒目以视，在场的中国教师愤愤不平，他怕惹起公愤，只好自己滚蛋了。事后，同仁们都赞扬胡老师有骨气，敢在太岁头上动土。

按照当时日伪统治者规定，中学教师必须穿“协和服”。胡老师对此十分反感,便以经济困难为由拒不购制。那时,日本人动不动就以“反满抗日”的罪名,乱抓“思想犯”,胡老师在同仁劝说下,从其长子(当时在银行做事)那里弄来一套旧“协和服”,只在参加会议时穿上敷衍一下，还时常以怕磨破臀部为由故意将裤子反过来穿,借此发泄不满。日本人亦无计可施。胡老师的反抗行为受到我们师生的崇敬。

焚烧日人贩运的毒品

吴志学

1929年7月,辽宁国民外交协会成立后,在张学良的授意下，经常做些政府不好出面做的事情。如以社会团体的合法身份，公开进行宣传、组织各种活动,对日本侵犯中国主权,欺压中国人民的行径提出强烈的抗议,等等。当时日本人经常由国外贩运大批海洛因、吗啡等毒品,来毒害中国人。协会知道后,就成立了禁毒会。有一次，意大利驻沈阳总领事兼沈阳邮政局总稽核巴立地,在邮包中检查出日本人由德国、瑞士等地偷邮进来的大量毒品。他把这件事告诉了协会,协会立即派人把这些毒品没收,并在沈阳小河沿体育场当众将毒品烧毁。焚烧毒品时,协会还邀请各国驻沈阳的领事参加，当时只有日本领事没有到场。焚毒活动,不仅揭露了日本人的卑鄙行为，对日本的运毒犯也是一次沉重的打击,民众拍手称快。

邓铁梅怒斥日寇

冯思文

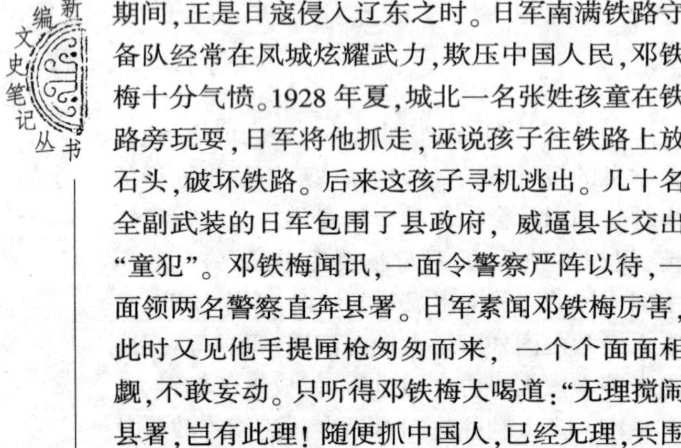

东北抗日义勇军第二十八路军司令邓铁梅,在竖起义旗前曾任凤城县公安局长。他任职期间,正是日寇侵入辽东之时。日军南满铁路守备队经常在凤城炫耀武力,欺压中国人民,邓铁梅十分气愤。1928 年夏,城北一名张姓孩童在铁路旁玩耍,日军将他抓走,诬说孩子往铁路上放石头,破坏铁路。后来这孩子寻机逃出。几十名全副武装的日军包围了县政府，威逼县长交出“童犯”。邓铁梅闻讯,一面令警察严阵以待,一面领两名警察直奔县署。日军素闻邓铁梅厉害,此时又见他手提匣枪匆匆而来，一个个面面相觑,不敢妄动。只听得邓铁梅大喝道:“无理搅闹县署,岂有此理！随便抓中国人,已经无理,兵围县署,想干什么？”日酋强行狡辩一阵后不得不灰溜溜而退。自此,日本人视邓为眼中丁、肉中刺。不久,便利用各种手段,打通省署要员,以“守职不忠”为名,革去了他的公安局长职务。

长空勇士阎海文

何恩厚

在北镇,老一辈人都知道有位抗日勇士,大市乡人,名字叫阎海文。

阎海文,1918 年 6 月 21 日生于北镇县（现北镇满族自治县）大市乡倒台子村的一户满族家庭。父亲曾攻取武秀才,他在家庭的熏陶下,养成了平静、刚毅、沉默寡言的性格。1931 年“九一八”事变后,他看到日本侵略者强占东北的种种罪行,便树立了驱除日寇收复失地的雄心大志。

1934 年夏,海文考取了中央空军学校杭州分校。他身材高大,体格健壮,刻苦学练飞行技术,尤爱研究强驱战术,每次发言多有新见解,深受同学们的称赞。毕业时他告诉特意来看他的母亲说,总有一天,我会飞回家乡去的。他结业后被分配到空军五大队二十五分队任少尉飞行员,驻防在江西南昌。

1938 年 8 月 17 日,上级下达轰炸上海虹口日海军陆战队司令部的命令,阎海文主动请战。他说:“我是一个东北流亡者,我要打回老家去,要为东北三千万同胞报仇。”接受任务后,他和战友们一起驾机直抵指定地点的上空,敌人以

猛烈的炮火向他们射击，使机身不时抖动，为了接近目标，提高命中率，他不顾个人安危，将机身半滚旋转成倒飞状，然后垂直俯冲地面，把三千磅的炸弹向敌人倾泻下去，全部命中目标。正在这时，敌人高射炮弹打中了阎海文的座机，飞机失去控制，脱离队形，他被迫跳伞，不料却落在敌营内。敌人从四面向他冲来，他抽出两支手枪，左右开火，一连击毙七名日军。待敌人冲到近前时，他从容地对准自己开了枪，勇敢地献出了年轻的生命。年仅二十一岁。

阎海文视死如归、宁死不屈的英雄气概，震惊了有恃无恐的日本侵略者。日本当局为激励官兵发扬武士道精神，对阎厚加葬殓，建墓树碑，上书："支那空军勇士之墓"。日本国内各报也都大篇刊载阎壮烈成仁的事迹，发出了"中国已非昔日支那"的哀叹。

抗战胜利后，阎海文烈士的灵柩从上海运到南京，安葬在南京航空烈士公墓。1946 年国民政府行政院决定，为纪念抗日烈士阎海文，把北镇县大市乡改名为"海文乡"。

安重根在旅顺监狱就义

史　峻

安重根是朝鲜近代史中著名的爱国志士，1879年7月16日生于朝鲜黄海道海州府。1905年日俄战争结束后，安重根变卖家产，兴办学校，立志教育救国。1907年离家到海参崴参加“大韩青年教育联合会”，组织义兵打击日军，1909年1月在纳沃基耶夫斯克组织义兵部队，任中将作战参议职务，并断指为盟，血书“大韩独立”，以示抗日决心。1909年安重根来到中国，同年10月26日，侵朝元凶日本枢密院院长伊藤博文抵哈尔滨与沙俄大臣商讨瓜分我国东北的计划。安重根在车站将伊藤博文击毙后被逮捕，同年11月1日被日本宪兵和警察押送到旅顺监狱关押。在狱中的五个月时间，他写下《狱中记》，记述了自己三十二年的生活和斗争的历程，揭露了日本帝国主义的侵略罪行。在关东厅最高法院(今址为旅顺口区人民医院)受审时，他历数日本吞并朝鲜的种种罪行，对法庭的无理判决予以藐视。临刑前几天，他还在赶写《东洋和平论》，呼吁亚洲各民族团结起来，反对日本的暴政。在狱中，他还手书“为国献身军人本分”等二百多条幅以表心迹。1910年3月26日

10时，安重根身着民族服装，神情自若，气宇轩昂走上绞刑架，英勇就义，时年三十二岁。

日军“助张制郭”

王桂良

1925年，在郭松龄将军的反奉战争过程中，关东军衔日本政府之命，在郭、张两军攻守异势之下，采取“助张制郭”的狡猾策略促成郭军失败。

这正如当时《盛京时报》1925年12月8日报道：“12月6日，日本派警察和守备队入城站岗，奉天各大机关和省城各门各关，都由日本军警把守。”又《申报》1925年12月21日报道：“在郭军进逼奉天时，日本警备队也全部出动，在附属地和南满站重要地带挖掘战壕，配置机关枪，以备万一。”

12月29日，张作霖设宴于奉天洞庭春饭店，盛馔款待满铁时局事务所有关人员。

同日，奉天省长王永江致谢梅野领事，对日军的周密警备与满铁的好意援助，表示谢忱。

林森为“苗母”赠杖题词

高　仑

1935年秋，南京国民政府主席林森赠给烈士苗可秀之母手杖一只，并题词曰：“贤哉苗母，教子有方，您是中华民族之母亲。”此文由著名大书法家监察院长于右任先生撰写，并由名金石雕刻家将字刻在手杖上。

苗可秀，原名苗克秀，1906年生于辽宁省本溪县一个农民家里。1926年考入东北大学。他在读书期间，对日本帝国主义在东北的强权政治和经济掠夺十分气愤。他提倡使用国货，抵制日货，并身体力行。“九一八”事变后，苗可秀流亡到北平，在燕京大学借读。

1931年他参加了“东北民众赴京请愿团”，是请愿团负责人之一。在请愿活动中，诸多事实表明，南京政府是主张不抵抗的，他义愤之下乃于1932年返回东北投入抗日救亡运动，参加“东北民众自愿军”任总参议，继任东北民众自卫军司令，少年铁血军总司令。

他多次率领部队在岫岩、凤城一带同日伪军展开战斗，给敌人以沉重打击。1935年6月他率部队从凤城向岫岩转移，在一个村庄宿营时，被敌人包围，在突围战斗中，他身负重伤，不幸

被俘。

敌人将他押入凤城县监狱，日伪官员想尽所有办法，多方利诱，劝其归顺。苗可秀幼承母训，崇拜岳飞，以精忠报国自勉，他怒气冲冲地对敌人说：“我是中华儿女，炎黄子孙，我有我的国家，我有我的民族，你们还我河山！”

敌人见其志不可夺，就下了毒手。苗可秀于1935年7月25日英勇就义，时年二十九岁。

辽宁国民外交协会

卢广绩 口述　吴志学 整理

1929年6月，日本驻沈阳领事借口保护日侨榊原农场，指挥武装军警二百五十馀人，不顾国际公理，悍然拆毁我北宁铁路北陵支线。这支线是当时东北大学校办工厂的铁路专用线，它靠近日人办的榊原农场。这个日本人认为铁路专用线妨碍农场耘作，可是他事前既不向我政府报告，也不同东北大学当局商量，就找日本领事动用武力拆毁了北陵支线。事件发生后，我政府交涉署多次同日方交涉，日方不但不承认错误，还蛮横无理。这件事，激起辽宁各界同胞的义愤。

当时，我是辽宁商会副会长，找沈阳青年会总干事阎宝航、省教育会长王化一、总商会会长金恩祺以及苏士达、卞宗孟等社会法团代表商量，成立辽宁国民外交协会。于1929年7月11日在沈阳举行成立大会，推举阎宝航、金恩祺、苏士达为执委会主席。协会内设七个部，即总务部长卢广绩、组织部长徐士达、国货部长阎宅仁、宣传部长卞宗孟、经济部长王金川、交际部长阎宝航、纠查部长刘达夫。

辽宁国民外交协会成立后，经过近两年的工作，到“九一八”事变前夕，全省已有四十馀县成立了国民外交协会分会。当时东北局势很紧张，日本更加紧对我东北三省进行侵略，企图强占我整个东北。国民外交协会面对这种严重形势，为了推进国民外交教育，开展民众外交活动，做政府外交之后盾，于1931年4月5日在沈阳青年会召开第一届辽宁国民外交协会联席会议。到会34个县分会代表共80人，提出议案124件。大会根据提案性质召开了三次讨论会。第一次由阎宝航主持，讨论归还中东铁路及同苏联通商复交问题；第二次由王化一主持，讨论废除不平等条约议案；第三次由阎宝航、卢广绩、苏士达主持，讨论收回南满铁路问题。会议认为，南满铁路是日本侵略东北的大本营，垄断东北经济之命脉，如不交涉收回，危亡之祸指日可待。大会决定委托东北出席国民会议代表向南京政府提出收回南满铁路及旅大议案。

4月8日闭会时，大会议决十项重要议案，并通过辽宁国民外交协会第一届联席会议宣言，东三省各报纸对大会议决案作了详细报道。

营口红十字救护活动

伊文谦

中国红十字会诞生于1904年日俄战争期间，营口红十字会是她的第一个分会。然而罕为人知的是，早在1894年中日甲午战争期间，营口已有过红十字救护活动，设立了临时红十字医院，这是中国最早开展的红十字救护活动。

1894年，中日甲午战争爆发。当战火快要燃进营口时，在营口的一些热心慈善救护事业的中外人士，已在努力筹划建立一所红十字医院，以备战时救护伤员。1894年12月3日，当时在营口的英国人司督阁(Dugala·Christie，又译作D·克里斯蒂)首倡，经中国当局批准和海关官员的合作，在营口的一家客栈开设了一所简易红十字医院。

医院刚办时，只有零星的中国伤员送来医治。随着营口设立红十字医院的消息在清军中逐渐传开，被送来救治的伤员不断增加，于是医院又加租了一所客栈。到了1895年2月下旬，战线更加接近营口，医院住满了伤员。由于伤员拥挤，医院又加租了两所客栈。1895年3月6日，日本侵略军攻陷营口，地方官员及驻军均撤至田庄台。司督阁便在这所红十字医院门口挂上“英国居民”和“外国教会”的牌子，插上好多红十字旗帜，使仍然留在医院的中国伤兵得到一定程度的保护。3月9日，日军攻陷田庄台，进行极其野蛮的焚烧杀戮，使有一万多居民的田庄台镇变成了一片废墟。此间，营口红十字医院曾组织人员到田庄台救护伤兵，设法将其中一部分伤员转移到营口红十字医院。

沈鸿烈与土肥原在庙街

惠　南

沈鸿烈，湖北天门人，光绪三十年(1904)入日本海军军官学校学习。回国后任北京参谋本部海军科长，后到东北经杨宇霆推荐出任航警处长，再升为东北海军司令，辖东北江防、海防两支舰队。1919年是苏联十月革命后第三年，北京政府为了防苏反共，加强黑龙江、松花江的江防，派遣江亨、利捷、利绥、利川四舰，于1919年7月从上海启碇北航，前往黑龙江口庙街(今俄尼古拉耶夫斯克)，再溯江西上，进入松花江到哈尔滨，编为吉黑江防舰队。沈鸿烈被派担任这四艘舰艇的指挥官。四舰到达黑龙江入海处的庙街后，如继续驶进黑龙江，经过伯力(今俄哈巴罗夫斯克)入松花江，预计已临封江季节，江

面结冰不能航行，因此沈率四舰决定在庙街停泊过冬。这时，苏联共产党已经推翻帝俄政府，在远东的白俄军队仍作垂死挣扎，局面非常混乱。协约各国均出兵西伯利亚，以保侨为名派遣军舰占领海参崴及若干有各国侨民的滨海各城市；日本派遣的陆军部队，明目张胆地支援白俄抗击红军；在庙街附近的苏联游击队，时常向市区内的日军袭击。因日军踞守在坚固工事内，不易摧毁。

苏军游击队支队长是中国人，便秘密与我海军接头，我军也深恶日军横行霸道，把舰上的小口径炮借给游击队，以致日军被袭很有伤亡。日方推测红军游击队并没有这类有威力的火炮，遂怀疑必是中国海军借出的。于是中日双方各派代表五人，组成调查组，去现场调查。沈鸿烈与后来策动“九一八”事变的日本战犯土肥原贤二，都是这个调查组的代表。土肥原一直盯着沈鸿烈，想尽办法软硬兼施，想从沈的口中获得中国海军暗助游击队的证据。沈早就消除了痕迹，严密防范，守口如瓶，不使土肥原抓着一点把柄。一日土肥原请沈吃酒，打算借酒套出真情，他没料到沈的酒量比他大得多，喝了一阵他已很有醉意，而沈则冷静如常。日军纠缠好久，始终得不到任何凭证，土肥原只得怏怏而去，此事也便不了了之。

陈诚的“抽送出境”

西仁

1948年春，国民党政府统治下的沈阳新闻界，曾流传一件内部新闻：

这一年的年初，沈阳《东北民报》记者邝安庸，因采写新闻稿件触犯了国民党“东北行辕”的某条禁忌，有关部门拟予法办，又恐牵动当地新闻界，遂写了一纸呈文，上报东北行辕主任陈诚请示如何处理。陈诚看罢似也颇感为难。可当他知晓邝是广东人，便立即提笔批了“抽送出境”，然后退回呈报部门。按常例，驱逐出境只有军警押送一法，从无“抽送”先例。有关人员看罢批示,未免哭笑不得。欲再请示一番,恐触犯行辕主任的尊严;若依常例派军警押送出境,又与"抽送"批示不合,便无可奈何地把这件事暂时搁置起来。

时隔不久,由于这位以国民党军参谋总长之尊出任东北行辕主任的陈诚,到职后未能兑现约期剿灭东北民主联军的狂言,反而使自己的地盘不断收缩,以致被撤销本职,卷铺盖回了南京。此后,这"抽送出境"的事也就不了了之。

傅作义的东北之行

李英夫

1947 年 11 月,国民党统治下的沈阳处于风雨飘摇之中,傅作义率一万多部队突然来到沈阳,并到抚顺一带炫耀一番。傅作义为何到东北来,又为何突然离去呢?这与他控制"三北"的幻想是分不开的。

1947 年下半年,东北三省大部地区均已解放。11 月蒋介石派在东北的最高指挥官陈诚,感到东北形势危在旦夕,不得不向"华北剿总"傅作义求援,请求傅抽调部队开往东北增强实力,藉此脱身逃回南京,将东北残局委之于傅作义。这正中傅作义进入东北的下怀。他派安春山军长率领一个步兵军及一个骑兵师开赴东北,到抚顺一带做短时间的停留。傅作义为了实现他控制东北的打算，亲自到沈阳与陈诚进行面对面的谈判。(傅作义于1927年涿州战后与张学良将军和张的参谋长鲍文樾等人的私人关系密切。1930年蒋介石、冯玉祥、阎锡山中原混战，战败后傅为收拾平、津残局，曾代表阎锡山到沈阳与张学良联络，和东北军政要人有了认识，从那时起就有了控制东北的想法。)

傅到沈阳后，住在沈阳三经路招待所，晚上他邀请从"东北长官部"卸任的参谋长赵家骧、沈阳防守司令官楚溪春和李英夫三人到招待所介绍东北形势。赵家骧对东北国共双方的军事、地理、政治情况做了将近四小时的详细分析，到深夜一时，赵、楚辞出，傅留下李英夫一人又做了简短的最后询问。

傅问："英夫，你看咱到东北来还有可做的没有？"李答："没有可做的了。"傅问："为什么？"李答："东北大部地区均已失守，东北的人心向背已明。蒋的军队在东北虽有五十馀万，但均已丧失斗志，不堪一击。我们的部队来到东北，只能跟着这些部队同归于尽。"

傅听到这里深表痛惜："没想到东北是这个样子，太可惜了，太可惜了。"

次日中午楚溪春、李英夫请傅在沈阳中华路一家饭馆吃白肉血肠。午后傅告别陈诚，满怀忧郁的心情，在北陵机场乘专机离开沈阳回了北平。随后，傅的部队也悄然撤离了抚顺。

马占山回东北

白　析

东北抗日名将马占山，日本投降以后，以国民党政府东北保安副司令长官（后改任松北绥靖主任）的虚衔回到沈阳。"九一八"事变后，他从东北带出去的部队经苏联回到新疆，被蒋介石、盛世才留在新疆，以致这位副司令长官手下无兵无将，仅有副官及勤务兵数人，饱尝了"光杆司令"的苦涩滋味。

1947年某日，《东北前锋报》记者孙序夫（中共地下党员）去见马占山，寒暄之后提问："马将军，您的部队是从东北带出去的，为什么没带回东北来？"马听后目光直视记者，激动地回答："他妈拉巴子的，我若带部队回来，那蒋介石还能一心打八路吗？还不得先打我！"简单的一两句话，把这位老将军的难言苦衷和满腔义愤倾泄无遗。

夷毁东陵古松林

白　欣

沈阳市东郊的天柱山，是清太祖努尔哈赤的陵寝——福陵所在地，它和沈阳北郊清太宗的昭陵遥遥相望，俗称沈阳东陵、北陵。两陵原都笼罩在古松林海中，尤其是东陵，以天柱山头陵寝为中心，周围山坡方圆数里遍布油松林。那松树大都伴随努尔哈赤陵墓生长了三百馀年，树身高达数十米，树冠则如伞盖遮天，四季长青。远远望去，苍翠蓊郁的古松林环抱着红墙黄瓦的皇陵建筑群，如金镶翠裹，蔚为壮观。虽历经军阀割据和日俄战争及日伪的践踏，古松林始终保持完好。这样大面积的城市郊区古松林，在全国也是罕见的。

时至 1948 年初，国民党在东北战场上节节败退，所占据的几座大城市相继陷于彼此隔绝的孤立状态。铁路线被分割切断，大城市周围的铁路也日渐瘫痪。尤其是铁路维修所必需的枕木难以为继，国民党政府东北行辕为维持其心脏地带沈阳周围的铁路不致完全停运，不顾社会舆论的反对，竟决定砍伐沈阳东陵的大面积古松，做铁路枕木。就这样，在那数百年来始终宁静肃穆的大片古松林中，响起了震耳的斧锯之声，陵墙外的成千上万棵古松被伐倒，大片苍翠古松林被夷为平地。

于右任书赠冯占海

孙德沛

1931年9月18日，日本侵略军悍然出兵占领沈阳，旋又北上进犯吉林。东北边防军驻吉副司令长官张作相为父奔丧回辽，署务由熙洽代拆代行。熙洽公然叛国，宣布凡归顺日本皇军者，无论文武官员和士兵，每人晋升两级，吉林省垣日军不战而下。

吉林省副司令长官公署承启官兼卫队团团长冯占海（辽宁省义县人）对熙洽的卖国行径，义愤填膺，严词拒绝，毅然将部队撤出吉林城。10月上旬，张作相指派诚允代理省长，重组省政府，委派冯占海充任吉林警备司令部少将司令。熙洽得知这一消息，即派伪骑兵第三师李文炳部向宾县进犯，被冯包围全歼，生擒少将师长李文炳。

1931年末，冯占海被推选为吉林义勇军中将总司令后即向哈尔滨进军，以打击敌人气焰，鼓舞人民斗志。守卫哈尔滨的于深澄部和地方杂牌军，装备差，士气低，接战不久义勇军就占领了哈尔滨。

1933年2月，冯占海在日本侵略军阿部联队向开鲁进犯、连日急行军、部队疲劳不堪、夜宿大仙他拉地区时，乘暴风呼啸、大雪纷飞之机，出其不意一举全歼阿部联队四千馀人。当时全国各报均在头版头条作了报道，引起国内外极大的反响。

1934年2月，蒋介石收编了吉林义勇军，任命冯占海为陆军第六十三军中将军长，调驻河北高邑一带整训。西安事变后，取消了六十三军番号，任冯占海为中将高参，闲置不用。抗战胜利后，当冯占海荣归故里时，国民党监察院院长、著名书法家于右任老先生赠其一联以资留念。联曰：“英名贯四海，壮志横三秋”。

“按”内攘外

纪　新

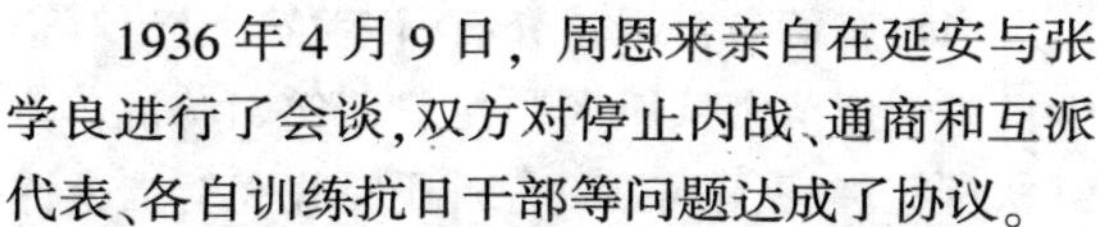

1936年4月9日，周恩来亲自在延安与张学良进行了会谈，双方对停止内战、通商和互派代表、各自训练抗日干部等问题达成了协议。

张学良创办长安军官训练团（团址设在王曲镇），集训东北军和第十七路军的优秀中、少校和上尉军官。训练分三期，每期一个月，学员五百人，于1936年8月开始，至10月结束。长安军训团的集训成效显著，在军训团中散布阻挠破坏抗日思想的言论极不得人心。

1936年10月27日蒋介石到西安长安军训团讲话。他在黑板上写了“安内攘外”之后，发了一通明礼义、知廉耻、在家尽孝、在国尽忠、服从长官的议论，接着讲日寇是外敌，共产党是内患。内患是心腹之病，外敌是皮肤之病；内患为害大于外敌，内患不除，无法抵敌。然后气愤地说：“不积极‘剿共’，而主张抗日的人，是内外不分，缓急不辨，是非不明，本末倒置；不积极‘剿共’而主张抗日的人，就是危害国家不忠不孝之人，对这种不忠不孝之人，国家有法纪在，一定要予以制裁……”蒋介石讲完到团部休息。此时西北“剿总”秘书处长苗剑秋快步走上讲台，拿起粉笔在“安内攘外”的“安”字左边加个提手，成“按”字后，大声对学员说：“同学们别听这老家伙胡说八道。他是按着内向外送，全是屁话，不要听他的。”并说：“团结抗日是救国政策是绝对正确的，剿共内战是亡国政策，是绝对荒谬的。”他说完下台扬长而去。

当时有特务密报蒋介石，蒋勃然大怒，对张学良说：“把苗剑秋抓来严办。”张笑对蒋说：“苗剑秋有精神病，不正常，有时还骂我呢”，当令谭海禁闭苗剑秋，交军法处法办，应付了事。事后怕蒋报复，令孙铭九将苗送往北平。

紧急城防会议

魏鸿文

利用紧急城防会议拘捕营口市的国民党党、政、军首脑人员，是国民党暂编五十八师师长王家善率部起义的第一个行动步骤。

这次会议当时的名称是“营口市党政军首脑联席扩大会议”，地点是在五十八师司令部。由于这次会议是在战局紧张时研究城防问题，故又称紧急城防会议。会议在 1948 年 2 月 25 日下午 2 时召开，参加会议的人员共三十六名，有国民党的五十二军副军长郑明新、市长袁鸿逵、交警总队队长李安、市党部书记王惠久、三青团主任陈修实、警察局局长曹起麟、商务会会长卢芳圃等。会议由王家善主持，郑明新首先讲话，他说：“当前形势很紧张，但营口固若金汤。大家昨日已看到空投物资和军饷，明天继续空运战备物品，海上军舰增援也不日到达，大家要有与营口共存亡的准备。为安定军心，不准任何人及家属乘机飞走……”袁鸿逵话锋锐利：“请问王师长，外围如此紧张，防御怎样？”王家善从座位上站起来，背着手镇静地说：“外围共军攻势加紧，但我方援军即将到来，家善督率部下加强防守，人在城在，城亡人亡！”话音刚落，进来

一位副官:“报告师长,有紧急军情,请师长马上接电话。”王家善从容地离开会场,会议暂停下来。大约过了十分钟,三名左臂扎白巾的便衣持枪突然闯进会场,喊道:“不许动,举起手来!”会场上点烟、倒茶的警卫人员也一齐掏出手枪,逼住参加会议的人员,同时周围窗户也伸进了枪口。在座的三十六人,呆若木鸡,举手低头走出会议室。只有郑明新、李安伸手掏枪,被王家善的副官韩光缴了械。押解到五十八师司令部院内地下指挥所后,三十六名国民党党政军要员丑态百出,抽泣声、叹息声,此起彼伏。李安声色俱厉地指责郑明新:“你不在前线指挥所开会,偏偏在王家善司令部开会。”郑明新连连点头说:“失策,失策!”

筹组《劳声报》编辑部

析　因

国民党政府统治沈阳期间,面对工人队伍中进步思想的广泛传播和东北人民解放战争节节胜利的巨大影响,作为国民党工运工具的沈阳市总工会深感无力应付。于是,该会主席路国华想办一份报纸,作为国民党沈阳工运的代言工具。但是,由谁来办?在市党部系统中竟物色不到适当人选。想来想去,路国华想到了常去市总工会采访的《和平日报》记者贺健。他认为贺文字能力不错，为人正直可靠，便同贺商量，请他帮助物色几位能搞新闻工作的人，把总工会的这份报纸办起来。贺健未即作答，表示考虑一下。因为贺健是中共地下党员，需要征得党组织的同意。对此，路国华当然无从知道。在地下党的一次小组会上，贺健提出了这个问题，同志们认为可以接受，因为可以通过这一合法途径宣传进步思想和党的有关主张。于是，大家便进一步研究如何组建这个办报班子问题。董事长无疑要由路国华亲自担任，社长也可以按路的意向确定，至于编辑部和采访部的组成，大家意见推荐贺健担任采访部主任；由在《东北民报》工作的白欣（地下党小组长）任编辑部主任兼主笔，由东北大学经济系毕业的任正余（地下党支部副书记）任编辑，另从贺健和白欣兼课的辽东学院请两位进步同学任业馀校对。大家还为这份报纸初步定名为《劳声报》。当贺健再次与路国华商谈时，路完全接受了这些意见并深表满意。同时决定立即编印一张《劳声报》试刊，以便上报国民党中宣部审批备案。

事情决定下来之后，大家立即集中到路国华刚刚接收过来的一所印刷厂（在沈阳市和平区民族街南五马路北口路西）开始编辑工作。这一期由于是试刊，主要新闻都采用了国民党中央社消息，还拼凑了半版副刊和通讯之类，并由白欣执笔写了一篇创刊词，试刊号印后即上报国民党中宣部审批备案。

现代花木兰郭俊卿

李学英

陆柱国的长篇小说《踏平东海万顷浪》,后改编为电影《战火中的青春》。主人公的原型,是一个许多须眉不及的全国女战斗英雄、“现代花木兰”郭俊卿。

1930 年 6 月,郭俊卿出生在辽宁省凌源县三十家子北店村的一个贫苦农民家庭。七岁那年,家乡遭水灾,全家走投无路,逃至内蒙。1945 年年仅十五岁的郭俊卿剪了短发,操着粗嗓门,在林西参了军,开始了金戈铁马的军旅生涯。尽管同志们从声音和外表一时看不出什么破绽,然而与战友们朝夕相处,长期掩饰性别是不容易的。她在营房里从不主动和战友们开玩笑,装出一副性格孤僻的样子;遇有挑逗,即服输告饶。睡觉时,她总是靠墙面壁和衣而卧,不和大家一块洗澡,一起去厕所。为此,领导和同志们时常批评她脱离群众,她一声不吭,默默地忍受着,克服了常人难以克服的困难。参军前,她未曾接近过马,可是在不长的时间里,她却能纵马射击,跃马拚刺。参军的第二年就加入了中国共产党,从此立下了“为人民服务到底,不怕流血牺牲,完成党给的任务,争取团结立功”的誓言。

从入伍时的骑兵通讯员，到班长，到连队指导员，郭俊卿以身作则，率先垂范；从平泉战斗，到攻打上、下板城，到隆化二道沟战斗，郭俊卿顽强拼搏，立特等功一次、大功三次、小功四次。

1950年，郭俊卿参加了全国战斗英雄报告团，并荣获“模范奖章”、“勇敢奖章”、“毛泽东奖章”。

陈赓巧救关向应

穆　欣

关向应（1902—1946），原名致祥，大连金州人，1931年在上海被捕，上海的中央特委责成在中央特科工作的陈赓同志设法营救。向应被捕的时候，被敌人抄去一大箱子文件。因为这批文件关系重大，陈赓营救他，就先从这批文件入手。一方面，需要设法把其中重要文件抢出来，才能避免泄露党的重要机密，使党少受损害；另一方面，只要能把其中的重要文件搞走，使敌人无法判断关向应的身份，就更容易把他营救出来。陈赓通过隐蔽在敌人内部的反间谍关系，知道英国巡捕房正在为这批文件发愁。因那么多文件和材料，他们挑不出哪些是重要的，天天围着文件箱子转。于是，陈赓就找当时上海的重要反间谍关系杨登瀛（他的公开身份是国民党驻上海的“中央特派员”)，要他到巡捕房去想办法。杨从那里得知,国民党想要把这批文件全部弄走,英国巡捕房不同意,正在争执。英国人说,这个案子本是租界办的，不愿把文件交给国民党。陈赓要杨登瀛去找英国巡捕房政治部的西探长兰普逊,说明这批文件很重要;同时表示愿意帮助巡捕房来鉴别这些文件。兰普逊正想从中挑出重要文件,据为己有,就对杨登瀛说:那就交给你来鉴别吧!杨登瀛说自己事情忙,没有工夫,但可以另找人办。陈赓得报后根据中央指示,派刘鼎前去“鉴别”。刘鼎在那里仔细地检查了全部文件，把其中重要的文件抽出来藏在身上,临走的时候手里拿几张油印文件,对巡捕房的人说:“我带回去看看。”

后来,陈赓叫杨登瀛告诉兰普逊,被捕者是一位学者,从他家里抄出来的这些材料,都是学术研究资料。敌人便认为关向应不是“要犯”,对他从轻判处。随后,党就把他营救出来了。

盛京城史话

刘振操

后金(清)天命十年(1625),努尔哈赤迁都沈阳。由于当时的形势和人财物力情况,他没能对沈阳城做大规模的修建,只是加固了明代留下的城垣,修宫殿,建“汗宫”和诸王的府邸等。努尔哈赤死后,皇太极继位,大兴土木,于天聪元年(1627)开始在明代砖城基础上重修沈阳城,到天聪五年(1631)大体完工。修筑后的沈阳城的规模是:城周九里三百三十二步,城高三丈五尺,城阔一丈八尺,城墙内外皆用砖石筑成。在城墙上建有高七尺五寸的女儿墙,修垛口六百五十一个。全城辟八门,即抚近门(大东门)、内治门(小东门),德盛门(大南门)、天佑门(小南门),怀远门(大西门)、外攘门(小西门),福胜门(大北门)、地载门(小北门)。在福胜门(大北门)与地载门(小北门)之间,还留有明代沈阳城垣的北门——安定门,后称镇远门、镇边门,清代俗称九门(清室入关后将九门堵死)。此外又增修各为三层的明楼(敌楼)八座和角楼四座,在各城门上配有大炮一门,以防来犯之敌。环城挖有护城河,河宽十四丈五尺,周长三十二里四十八步。

城内将原来的十字街改建为井字街,井字街第一横画的中心是皇宫(故宫);井字街第二横画的中心是四平街(中街)商业区,中街的东西两端建有钟、鼓二楼。中街诸色店铺林立,各地商贾云集。井字街的八个尖端,直达砖城四面的八个城门。皇太极在修城垣、建宫殿、筑皇陵,修太庙、天坛、地坛,造四塔、开商埠,置内阁六部、都察院、理藩院等衙门,建文庙、修学馆、设阅武场,使京阙之规模大备之后,遂于天聪八年(1634)将沈阳更名为盛京。

顺治元年(1644),清迁都到北京,把盛京改为陪都,设有和北京相近的中央机构,即礼、户、工、刑和兵五部衙门,各部的首脑为侍郎。

康熙十九年(1680),清廷拨款维修盛京城城垣、城楼,并增筑盛京外城,即环绕砖城再修筑关城。在八门之外,又开八个边门。这就是大东边门、小东边门、大南边门、小南边门、大西边门、小西边门、大北边门、小北边门。从此盛京城更加雄伟气派。

扶余城考

龙飞

扶余这个地名，在东北有多处。吉林农安叫扶余(原称渤海扶余城)，农安西北有个县也叫扶余。黑龙江省嫩江流域又有一个扶余(今称富裕县)。热河平泉县(今属河北省)也有叫扶余的地方，这是怎么回事?

我国远在汉朝前，东北有扶余国，皇城在今辽宁省昌图四面城，国王扶余仇台，即以国王姓名作为国名，为扶余国。汉代北征与唐代东征，多出自柳城(今朝阳)，会战于金山(今辽宁康平)、扶余。286年，辽西鲜卑慕容廆率军将扶余国击败，俘虏扶余贵族下户(下户是奴隶或其他民族人)12万人。将这些人安置在公棘城(今辽宁义县)，另一部安置在平泉地方，从事耕种和杂役。392年，高句丽侵吞了扶余，扶余王逃往吉林农安，684年，渤海国又将扶余从农安向北驱逐。至明代神宗时，扶余国势日衰，乌梁海逐走扶余人，他们在黑龙江省嫩江上游生活下来，修建扶余城(今富裕县)。这就是出现许多扶余城的原委。

旅顺水师营

史　峻

旅顺水师营位于旅顺军港北部五点二公里处，清康熙五十四年(1715)，清政府为加强北方海防，在此处设水师营盘。初建时有官兵五百馀名，建草房一千二百间，占地方圆五华里，除各级官佐用房外，每名水兵均得两间，家属也随驻于此。当时规定旅顺口水师营每年 3 至 9 月出海巡哨，其范围西至菊花岛，南从老铁山再往南巡九十华里到隍城岛。

为解决水师营官兵及家属衣食日用物品所需，清政府下令免征到此经商者的税银，于是大量商号货店迅速出现，形成了商镇的雏形。19 世纪 30 年代以后，随着清政府的衰败，水师营的海军被裁撤，但水师营地名仍存，从此成为旅顺口区商业、贸易和农副产品、土特产品交易市场。

日俄战争后，日本第三军司令乃木希典与沙俄旅顺要塞司令斯特塞尔在水师营西街的一座草房内举行谈判。其后，此处便被日本军方吹捧为战迹圣地，大搞战绩旅游活动，使这里出现畸形繁荣，赌场、妓院等藏污纳垢的场所比比皆是。

清代柳条边

佟铁山

今辽河流域和吉林部分地区，清王朝曾视为“祖宗肇迹兴王之所”、“龙兴重地”，而把这一地区划为特殊地带，严禁其他各族人入内，以防止损害所谓“龙脉”，以巩固其根本，为此修筑了柳条边。正如乾隆皇帝在《老边诗》所说：“征战纵图进、根本亦须防。”

柳条边的修筑共分两个阶段。第一阶段为1644年至1661年，从山海关北，接长城起，再穿辽西平原向北至开原的威远堡，又向南折经清原、新宾、本溪、宽甸、凤凰城、东沟诸县与海岸相接。共一千九百馀里，设十六座门，人称老边，也叫“盛京边城”。第二阶段是1670年至1681年从威远堡起到今吉林市法特东面亮山止，长六百九十馀里，设有四座门，人称为新边。两边合起来成“人”字形。

柳条边的筑法是：用土堆成宽、高各三尺的土堤，堤上每隔五尺插柳三株，株间用绳连接横条柳枝，即所谓“插柳条绳”。土堤外挖底宽五尺，口宽八尺、深八尺的边壕。因为柳条边壕修于清代，后来世人又称“清沟”。边门设有门楼，门楼悬挂“加木禅门”匾额，旁边设有差房。守门

设置防御员一名(五品官),兵四十五名。边门设卡,禁止百姓随便出入。“凡出边者,旗人须本旗固山额真送牌子,至兵部起满文票;汉人则呈请兵部或相当于兵部衙门起汉文票”。“有私越者,处爬边越口罪,必置重典”。

随着边内外人口增加,边内边外经济往来愈加频繁,旗民(指满汉人民)开始感到边壕是一大障碍。因此,到道光二十年(1840)清政府终于下了“解禁令”。柳条边自建立以来,虽饱受战争创伤,连年风剥日蚀,其脉络和遗迹现仍依稀可见。

北魏石窟万佛堂

关林春

万佛堂石窟,位于辽宁省义县城西北十八里万佛堂村东福山南侧,大凌河北岸的石崖上。明代诗人贺钦有诗句云:“云端石窟可栖身,水绕山环胜得春……”道出了石窟倚山傍水的天然胜境。

在中国石窟艺术宝库中最著名的有甘肃敦煌石窟、山西云岗石窟、河南龙门石窟,而义县万佛堂石窟是北魏太和二十三年佛教最兴盛时期营造的,与云岗石窟同期,是我国最东北的石窟群。万佛堂石窟分为东西两区,现存大小石窟十六个,佛像四百馀尊。

西区石窟是北魏营州(今辽宁省朝阳市)刺史平东将军元景为孝文皇帝祈福所建。每窟大小不等,雕塑佛像有菩萨像、供养人像、飞天以及佛教故事中的一些人物，或坐或立，或静或动,姿态各异,生动逼真。

其中第五窟是个大型窟,窟高5.1米,东西长7米。前半部已经塌陷,残存的雕像除螭首、莲花、飞天、小坐佛外,最有价值的是东南角山岩上一块魏碑。碑的下半部已经风化,上半部残存碑文304字，碑文记述了造窟经过，书法高超,具有很高的艺术价值。魏碑字有方笔圆笔之分,独成一体,历来享有很高评价。此碑笔画方圆兼备,结构严整,笔势遒劲有力,为《平东将军营州刺史元景造像碑》。著名书法家虞庭跋称其"字体奇悍俊伟、精金百炼";清末学者梁启超评为"天骨开张、光芒闪溢";康有为则称其为"元魏诸碑之极品",可见此碑何等钦奇。

从西区往东翻过一个小山脊便到东区。在山头上矗立着一座圆柱型的小白塔,塔高7米,为面临凌水、背靠福山的这座石窟群增添了风光。塔身南有一石刻塔铭，记载明成化十年(1474)左军督佥事骠骑将军王锴所建,因称成化塔。

东区第五窟的南窗壁上有北魏景明三年(502)5月7日员外韩真造窟碑一通，现存汉字296个,是研究契丹早期历史的珍贵史料。

大帅府

惠德安

大帅府坐落在沈阳大南城门内路西，是张作霖、张学良父子的私宅。这所房子，原是荣道台荣厚的公馆。1904年日俄战争前，俄国远东总督曾住在这里。日俄奉天会战后，日军进入沈阳，准备做乃木希典的住处。乃木认为这里曾住过俄国的败军之将，他再住不吉利，乃改住户部衙门（即后来的日本满铁公所，现今的沈阳市图书馆）。1912年，张作霖将荣宅买做自己的公馆。辛亥革命后，他感觉西邻江浙会馆，出入聚会都是南方人，会有革命党人混在其内，就常派兵弁巡视。会馆慑于张的威势，就将房舍出售于他。1915年秋，张兴工拆除旧房，另建一座三进四合院平房。1922年，张最宠爱的寿夫人从哈尔滨回来，对张说："我们号称关外第一家，你看我们住的房子，照哈尔滨交涉局马总办住的洋楼差的太远了。"张说："我就盖不起洋楼吗？"于是就找外国人画了一张图，在四合院东侧，盖了一所罗马式青砖三层大楼，这群建筑组成了大帅府。

辽东镇长城

刘少玉

万里长城较为完整留存至今的主要为明建筑的长城，它西起祁连山，东到鸭绿江，长达一万二千七百多里。其最东端——山海关至鸭绿江口部分即为辽东镇长城(亦称辽东边墙)。它是明王朝为了防止新崛起的东北女真各部和北面蒙古兀良哈部的侵扰而修建的，始建于明英宗正统七年(1442)，历经二百馀年，基本完成主体工程和关隘城堡、烽火台等建筑设施，全长一千九百五十里。

辽东镇长城西端起点为绥中县李家堡乡荆条沟北山，与蓟镇长城相接(在山海关北六十多里处)，经绥中、兴城、锦西、义县、清河门，越医巫闾山抵黑山境内的白土厂村，在此突然折向东南，经八道壕、台安、盘山、海城，又沿辽河东岸北上，达开原东北的威远堡，陡然折而南下，经抚顺、本溪、凤城、宽甸等县境，直至鸭绿江岸，大致走成一个“M”字形。全程共建边堡(堡、所、卫)九十八座，各类墩台八百四十九个。

辽东镇长城，基本上是由垣、堑、台、空四部分组成。其建筑材料都采用就地取材的方法解决，有石垒的，有砖砌的，也有用土夯筑的。

锦州关帝庙

张传石

锦州关帝庙，坐落在锦州古城广顺门（西门)外。明成化十二年(1476)扩建锦州城墙时，将剩下的砖石建殿三楹,俗称“关帝楼”。

明万历三十六年(1608)御史熊廷弼巡按辽东,登广宁左中屯卫(锦州)关帝楼,感慨万千,叹道:“吾蓟辽将士都若汉寿亭侯，江山必固如金汤了！”遂命重修关帝楼,亲笔题写“追风”、“奔日”四字。

明天启二年(1622)经略孙承宗督筑小凌河堤时,登临关帝楼,挥笔写下“神武灵佑”四字。

宁锦大捷后，右佥都御史辽东巡抚袁崇焕在左中屯卫(锦州)功赏辽东铁骑,登关帝楼题词一首:“抛头颅,喋鲜血,留下白骨封疆界,英魂永保汉家阙。关帝楼,藏金州,青龙偃月美名留,元戎誓死不回头！”

清咸丰六年(1857)咸丰皇帝赐御书“万世人极”匾额。另有捐资重修碑记十二通。

1930年秋，张学良将军曾登锦州关帝楼拜见寺僧善悦。善悦原名邵锦彪,是张作霖的结拜兄弟，只因厌烦尔虞我诈的官场生涯，愤然出家。此人对军事、政治颇有研究,绰名卧龙。张氏希望他出山相助，但善悦婉言谢绝。

张学良将军登楼远眺时，看到孙承宗题词无限感慨，叹道："熊庭弼、孙承宗、袁崇焕登临此楼，这乃是此楼之荣！祖大寿、洪承畴、吴三桂登谒此楼，这乃是对此楼之大辱。我张学良要学民族英雄以身许国，不能愧对民族，愧对祖先，不能玷污此楼！"可惜此楼今已不存。

奉天东北大马路

张怀山

奉天省城(今沈阳市)东北部，有一条东北大马路。它西起大北边门，东止东望街，全长四千六百米，最宽路段为六十米，是市区的主要干线。

1918年9月7日，张作霖被北京政府任命为"东三省巡阅使"，督办东北屯垦边防事宜。他首先将奉军改称东北军，之后在奉天成立东北大学，建东北电影院(今辽艺原址)等。从此"东北"这个名词的使用逐渐增多，成为人们习惯的称呼，如今"东北"已是辽、吉、黑三省的代名。1922年，张作霖在第一次直奉战争中失利退回关外后，在沈阳东郊的东山嘴子建起了东大营，意为东山再起的大本营。为了打通东大营与城内的交通，1925年开始修筑东北大马路，马路由

东北向西南延伸。张作霖为显示其“东北王”的威力,将马路两侧的胡同,都以当时东北三省八十四个县的县名命名,如彰武街、法库街、西安(今吉林辽源市)街、海城街等等。以这条马路为轴心,这一带成为东北三省的缩影。中段的大广场上还塑有张作霖的铜像，一般的像位都是坐南朝北,而张作霖这个铜像却是坐东朝西。面向西是表示他时时眼望北京，不甘心第一次直奉战争的失败,不甘心只当“东北王”。不久,张作霖的奉军真的打进了北京城，他当了海陆军大元帅。可是好景不长,1928 年 6 月 4 日张作霖被迫撤回奉天,还未进城,就被日本军国主义分子炸死于皇姑屯。

古老的北镇庙

崔景和

北镇庙,历来被封为北方镇山的祭祀庙。这组宫廷式的建筑群,早已闻名遐迩。千百年来饱经沧桑,至今仍以其磅礴的气势,威严的雄姿,屹立于医巫闾山之阳、广宁镇西的山岗上。

殿堂依山而建，由山脚到山顶，经三段升高。庙前原有六柱五间玉楼式灰绵石制成的石牌坊一座(1973 年毁于暴风)。石坊前后用红绵石雕成高三米的石狮,两两相对。狮子呈喜、怒、哀、乐四种神态，造型生动，威武雄健。北上二十级石阶，为绿琉璃阴阳瓦盖顶青砖对缝的红心围墙，中间有宫廷式三开间的拱门（庙的山门），亦称仪门。正中拱门的门额上，嵌有“北镇庙”石雕一方，正楷字迹，端庄有力，传为明代严嵩所书。又北步二十级石阶为神马殿。殿北场地较宽，多石碑，俗称小碑林。前列并排康熙、雍正、乾隆三个皇帝的御碑。稍后有八通石碑，刻记乾隆、道光两帝东巡祭祖路经北镇，游览闾山，夜宿北镇行宫的题吟，其中有《五言三十韵》、《广宁道中》、《闾山八景》等。另有六通御碑排列于后。再北上二十级石阶，有几座殿堂，大殿内排列着具有珍贵历史价值的元碑十二通。

墙壁上绘有汉代至明代各朝著名的文臣武将画像三十二人，神态各异，彩绘绚丽。清乾隆帝亲书“乾始神区”的长约七尺、宽三尺铜制御匾，挂在大殿正中。

最后是寝宫，又称后殿。清康熙帝敬献的木制金字、蓝地、四周雕刻花纹的御匾“郁葱佳气”悬挂正中。庙的西北角有翠云屏，又名佝偻山，是一块丈馀的巨石，石下有一孔，人可爬行钻过。明巡抚张学颜为此石题“补天石”三字。清乾隆为其题诗曰：

庙西峙立翠云屏，凝盼谁能拟色形；
片石千秋大方广，补天二字出何经。

北镇庙从隋唐始建以来，历代朝廷对祀典都有规定日期。唐高祖武德规定每年一祭，元世祖规定每年于土旺日祭典。辽兴宗和道宗都曾多次亲自告祭。清圣祖、世宗、高宗、仁宗和宣宗相继来闾山和北镇庙祭祀。康熙帝“三历其境”，乾隆帝“銮舆四莅”，并皆题咏留字，备受皇家重视。

清帝祖陵——永陵

李荣发

永陵地处辽宁省新宾满族自治县中心。这里层峦拱卫，沃野坦荡，群峰竞奇，众水朝宗，资源富饶，风光宜人。

永陵是清太祖努尔哈赤的祖陵。这里埋葬着努尔哈赤的六世祖猛特穆（肇祖原皇帝）、曾祖福满（兴祖直皇帝）、祖父觉昌安（景祖翼皇帝）、父塔克世（显祖宣皇帝）、伯父礼敦、叔父塔察扁古以及他们各自的妻室。

永陵被清王室视为“尊崇祖先，慎终追远，以展考思，固帝业于长久”之地。皇帝屡屡东巡谒祖，并遍览祖宗创业遗迹。据史书记载，康熙、雍正、乾隆、嘉庆、道光等帝及皇太后、皇后、皇子和众官员先后共十二次，累数十万人众，翻越重山峻岭，千里迢迢来到苏子河畔。其中仅康熙第二次东巡时，一行竟达七万人，并皆骑马。从皇城出发时，京营军十五万人护驾到山海关，次由关东军十五万人接驾。所需用品靠无数车辆、骆驼、骡马等载运。还有专供屠宰的牛、羊、猪等，随队前行。这支络绎二十馀里的队伍浩荡而过，旌旗蔽日，尘埃弥天，如步于云雾之中。平时按例每年要举行大祭六次、小祭二十四次。加之国忌、帝后忌辰都要随时致祭，可谓终年香火、钟鼓不绝。

永陵的主体建筑，占地约一万一千馀平方米。由下马碑、前院、方城、宝城、省牲所、冰窖、果楼等组成。整个建筑群既有满族风格，又有我国传统建筑艺术的特色，本身就是中华各兄弟民族共同创造祖国光辉文化的生动例证。

原来在兴祖福满墓前曾生长过巨榆一株，盘曲纠结，枝繁叶茂，如伞似盖，覆蔽宝城，颇为台地上的墓群增添几分生气。据传当年老罕王从长白山下来，把背着的父亲骨匣暂放在此树离地三尺的树叉上，次晨发现已长入树中，难以取下，这显然是清统治者为自己承受帝业编造的神话。乾隆四十三年(1778)，乾隆皇帝谒陵时，将它封为“神树”，写过一篇《神树赋》，曰：“神树非柏非松，根从天上分来……”不料同治二年(1863)这株威严的“神树”竟被大风吹倒，压坏了启运殿顶，撅毁了兴祖的宝顶，引起王室一阵惊慌。尽管后来清王室曾多方培土修整，老榆也曾一度重生侧枝，但随着日流月逝，“神树”终于荡然无存了。

牛庄港之兴衰

留 郡

牛庄，位于辽河左岸，临近入海口。238年，曹魏派司马懿领兵讨伐公孙渊，兵分两路，一路由登州沿海而上至辽河口，转太子河，径达襄平(今辽阳)。明朝初年，太祖朱元璋派十万大军长期镇守辽东，皆靠海运供给布花、粮米，“由直隶太仓海运至牛庄储支”。待至清之中叶，创兴盛京海运之后，每年都有闽、浙商船渡海北来，运入南方的瓷器、绸缎、桐油、竹器、蔗糖等商品，运出的东北特产以大豆、豆饼、杂粮、皮毛、药材为多。牛庄港埠河里一时帆影鳞集，陆岸车水马龙，一派繁华兴隆景象。清咸丰初年，曾“有夷船数只装货至牛庄，因当地商民鄙视洋货，不肯与之交易，迫使洋人废然而退”。1858年6月，昏庸的清政府被迫与英、法签订《天津条约》，准开牛庄等处为通商口岸，英商可任意行商，随时往来。中国的北方大门被打开之后，英国鉴于“中国商船多年经营大豆，获利甚厚，而洋船卸货后得空驶，多所亏折”，1862年由英领事出面，照会清政府放开“豆禁”。清政府原以为放开大豆贸易不仅将切断沿海诸省商民船工的生命线，而且北运之军需漕粮也将受阻，故有各国商船不

得装运牛庄大豆转运他口之限。这时清政府慑于洋人的压力，便妥协开禁，从此列国商船通过牛庄贩运大豆及其制品畅通无阻，进而达到了垄断。列国大吨位船只也随之竞相驶来。因牛庄港大船进出有困难，英国驻牛庄领事便乘舰巡岸，见营口优于牛庄，即在营口开始筑港，1864年竣工。但因条约规定贸易口岸是牛庄，列国遂将营口强行称作牛庄或牛口。此后牛庄港港运日减，帆影日稀，逐渐被营口港所取代。

惠宁寺

田作印

惠宁寺位于辽宁省朝阳市北票下府乡下府村，至今已有二百五十多年，是一座规模宏大的喇嘛庙。它占地面积一万三千平方米，现存房舍一百七十多间，是朝阳境内保存最好的古建筑群，现已列为辽宁省重点文物保护单位。

康熙四十九年(1710)，十九岁的哈木伐巴雅斯呼朗图，承袭了吐默特右旗的固山贝子，人称哈贝子。此人大个头、大脑袋、方脸盘，额头上长着一颗红痣，“是个满脸福相的人”，也是个雄心勃勃的人。乾隆三年(1738)，他进京朝见乾隆皇帝，见皇宫富丽堂皇，便萌发了扩建王府的念头。他从直隶(现河北)、山东一带请来石匠、窑匠、铁匠、铜匠、瓦匠等八大匠人，前后用了十八年时间，花掉白银七万多两，修建了四方殿及一座五丈五尺高、有八十一间房屋的大殿和东西配殿。所建大殿规模宏大、气魄雄伟、彩绘华丽、造型别致，远看是座一层的大正殿，四周若干配殿。其实大正殿并非一层，而是外观一层，内含三层。第一层为群臣朝见的地方；第二层分东西两侧，东侧为乐池，可用以听音乐、赏舞姿，西侧是处理公务的地方；第三层则可做平日歇息的地方，并可眺望吐默特全境。大殿建成后，哈贝子欣喜万分，捋着胡须说："此殿雕龙画柱，盘龙卧虎，真好似京都的金銮殿！"此话很快传到乾隆皇帝那里，乾隆立即派探兵前来访察。哈贝子得知后，灵机一动，增设佛像，改殿为庙，召集四百名精通经文的喇嘛，在大殿上日夜诵经不止。探兵一看，根本不是金銮殿，而是一座喇嘛庙，便打马回京禀报乾隆皇帝。乾隆皇帝将计就计，钦命哈贝子的金銮殿为"惠宁寺"，并御笔题写"惠宁寺"匾额，悬挂于正门。哈贝子见求取无望，又加皇帝时时戒备自己，便真的削发为僧，做了"惠宁寺"的总住持。

明长城东起点——虎山

宋占方

虎山，距辽宁省宽甸县城西南六十点一公里，坐落在虎山满族乡虎山村中朝界水鸭绿江畔。遥望山势突兀，前如虎首，后如虎身；近观奇峰高耸，冈峦起伏，首尾相应。

虎山历为边陲要塞。它东抑江口，南抵江濑，西临叆河，北连群山，为九连城制高点，态势险要，故是兵家必争之地。光绪二十年(1894)十月二十五日，日军于朝鲜偷渡鸭绿江向江畔清军防线发动大规模的攻击，扼守虎山清军将士“愿效死，保守此山”，顽强御敌，清军官兵殉难五百馀人，日军在此登陆。历史上称这次战役为“中日甲午战争虎山之战”。

如今，虎山南麓江沿台堡遗址和山上石垒墙体犹存，专家论断为明万里长城东端起点，此台堡应是万里长城东端起点的帮山台。

魏武挥鞭地

朝 英

白狼山即大阳山，位于辽宁省喀喇沁左翼蒙古族自治县首府大城子镇的西南二十六点五公里处，其主峰海拔八百八十一点四米。207年曹操亲率大军北伐乌桓时，“操登白狼山望柳城”(柳城在今朝阳县十二台子乡，两地相距约九十公里)，留下千古绝唱。

建安五年(200)曹操于官渡大败袁绍。袁绍率领残兵败将逃至柳城，联合乌桓蹋顿，称雄北国，与曹操为敌，三郡乌桓便成了曹操的后顾之患。为消灭割据势力，彻底统一北方，以便南下征伐，建安十二年(207)，曹操率领曹植、先锋张辽等，采取“兵贵神速”、“轻兵兼道”、“掩其不意”的征战策略，于农历五月北伐乌桓。弃无终取卢龙道(一条达柳城的古道)，“经白檀，历平冈，涉鲜卑庭，东指柳城”，蹋顿及袁氏逆大凌河迎战。农历八月两军在白狼山交锋。“操登白狼山，卒与虏遇，众甚盛，操车重在后，披甲者少，左右皆惧。操登高，望虏阵不整，及纵兵击之”。操攻下柳城，北伐全胜，成为赤壁之战的前奏。农历九月班师回邺，途经北戴河时，登高观海，心情激奋，见疾风劲草，洪波汹涌，遂写下了豪放疾迅、浩瀚不羁的《步出夏门行》，有人评其诗，“有吞吐宇宙气象”。

毛泽东在北戴河时，站在“老骥伏枥，志在千里，烈士暮年，壮心不已”的吟哦处，挥笔写下“……往事越千年，魏武挥鞭。东临碣石有遗篇，萧瑟秋风今又是，换了人间”这段历史感受。

老铁山陈家洞

张奎藩

古说桃源好避秦，孔藩旅顺竟屠民。

清初为问投旗者，犹是陈家洞里人。

这首七言绝句，是清末金州文人郑有仁，光绪元年(1875)所写的《旅顺怀古四绝》中的一首。

“犹是陈家洞里人”，讲的是一段凄苦的往事。

明末清初，黄金山下曾是明、清争夺旅顺的战场。多年的战乱，给旅顺人民带来无尽的苦难。明崇祯六年(1633)2月，明朝叛将孔有德、耿仲明率兵从山东蓬莱逃到旅顺，分别结营于双岛湾和龙王塘。

明东江总兵黄龙率部迎战叛军，经过水陆鏖战，黄龙生擒叛将毛承禄、苏有功、陈光福及高志祥等十六人，斩杀贼魁李九成之子李应元，

歼敌千馀,夺还被掠妇幼无数。孔、耿仅以身免,率残兵败将投奔清军。

同年7月,在孔、耿叛军引导下,皇太极派贝勒岳托,及德格类统领八旗士兵攻旅顺。黄龙再次迎战,后因寡不敌众,矢石俱尽,黄龙自刎,旅顺城陷,男女老幼五千三百零二人被掳。

孔有德等引八旗兵攻占旅顺后,其所属将士俱入城内,凡官员房屋及富户列肆皆为所占取。为诱杀民众,血洗旅顺,孔有德唆使兵卒故意在旅顺重要路口散置碎银,几天检查一次,看是否有人收拣。直到银两不缺,证明已无生存之人,才停止搜寻屠戮。在孔有德和八旗兵的肆虐下,旅顺土著居民大都流离失所,死于战乱。其中有些人家逃到老铁山南麓,近海石洞中躲藏。因战乱日久,生活无着,许多老弱者困死洞中。惟有一户陈姓人家,藏在一个外窄内宽的石洞中,得以存活。兵乱之后,很长一段时间,这家人不敢出来,过着“不知有汉,无论魏晋”的世外生活。清军夺取政权后,出榜安民,陈姓一家才走出岩洞,并投入镶黄旗,入了“旗籍”,成了清朝的顺民。后来人们便称这口窄内宽的山洞为陈家洞,俗称陈老婆畎。现在旅顺老铁山下南山里一带的陈姓,据说就是当年陈家洞人的后代。

杀人场与断魂桥

尔　佳

沈阳解放前，在距大西边门一里左右的西南方有一处刑场，俗称杀人场。沈阳刑场原设在南关柴草市，后迁到大西边门外。刑场附近有些菜地和几座烧砖窑，此外都是乱葬坟地。无论是清代的砍头和民国的枪毙死刑犯，尸体均埋在刑场外西南角的万人坑里。刑场呈圆形，直径约二百步，周边是砖围墙，一人多高，围墙上有四个白灰抹的方块，上书："刑期无刑"。刑场中心有一个亭子，叫刑亭，处决罪犯就在这里。旧时被处决的罪犯，绑出监狱，便把犯人架到临时抓来的进城卖粮草的农民马车上，出大西城门经大西关游街示众。一路上有几名号兵不时地嘀嘀嗒嗒地吹奏，引来众多看热闹的市民，聚集在大街两旁。有被处决的罪犯视死如归，向临街商店索要红绿绸缎，披在身上，叫做什字披红，还高唱几句地方小调，好事者闻之亦鼓掌叫好。因车出大西边门往南走百馀步，须过一座小桥，人称"断魂桥"，意思是说罪犯过了桥就到刑场，死就在眼前了。

旅顺天后宫

潘　顺

旅顺天后宫是祭祀海神娘娘的庙宇。元、明以后，商业繁荣，海运发达，中国东部沿海一带陆续修建天后宫，祈求海神保佑航行者平安。南自闽粤，北到辽海，均建有天后宫；不但天津、烟台、营口等港口城市兴建，即腹地沈阳、辽阳等城市也都修建。据泉州海外交通史博物馆调查，全国约有四百处祭海神娘娘的这种寺庙。

旅顺天后宫原在老铁山东麓，后移至旅顺口东岸黄金山脚下。沙俄入侵后，又拆迁至教场沟。最早的旅顺天后宫，建于何时，无从考证。史载旅顺旧有的天后宫，在明永乐年间便已“岁久倾塌不堪”，可见建于元代。明永乐乙酉(1405)春三月，武臣保定侯孟善巡视旅顺时，参拜天后宫，见祠庙失修，决定重建。永乐丙戌(1406)二月二十六日动工，次年八月十五日竣工。孟善及辽东都指挥徐刚于永乐六年戊子(1408)四月立《天妃庙记》石碑，详述重修经过。清代又多次整修。据《创修天后宫序》载：那时的天后宫“如来菩萨诸佛殿，参错掩映，官民祈祷，灵应如响，香火鼎盛”。康、乾年间，旅顺水师营官兵，每当春秋巡海前，主帅都亲临天后宫祭祀，以求海神娘娘保佑出哨平安。

沙俄强占旅顺后，于光绪二十四年(1898)在天后宫一带建海军俱乐部，逼迫主持僧心一拆毁寺庙。心一和尚姓李，原籍安徽寿州(今寿县)，曾是清军哨官。甲午战争后到黄金山落发出家。他为人刚直，具有爱国之心，对沙俄的倒行逆施非常愤慨。为表示抗议，他搬运干草木柴置于寺庙周围，表示如强行毁庙，便点火自焚，与大庙同归于尽。沙俄见心一强硬，怕激起众怒，提出愿出二万卢布作补偿，择地另建天后宫，心一勉强接受这个条件。

光绪二十五年(1899)心一在旅顺教场沟西山重建天后宫。因二万卢布不够用，心一四处化缘，昼夜经营，始得建成。新建的天后宫，计有如来佛殿三间，僧室三间，东西客室三间。中间大殿祀天后，左右有看台、戏楼、钟鼓楼，规模宏大，金碧辉煌。碑记中说，与原有天后宫比，有过之而无不及。每年农历三月二十三日为庙会日，届时香客络绎不绝，商旅如云，人山人海。

上列重修天后宫经过，具载于心一碑文《修天后宫序》(石碑现藏于日俄监狱旧址)，它记录了旅顺天后宫的变迁经过，也是沙俄侵略旅大，横施暴政的实录。

顺治出痘的御花园

克　明

长宁寺喇嘛庙，在御花园村东端，距沈阳小西门约五里，清皇太极陵寝的南边。清室未进北京前，这里是离宫御苑。每年夏季，皇太极偕皇妃、太子等到御花园避暑。清顺治皇帝幼小时出天花，即在此地调养。清迁都北京他住在紫禁城，仍不忘御花园景色，特在出痘的地方建长宁寺。该寺达喇嘛可以升为实胜寺（皇寺）当掌印达喇嘛，而其他寺院的达喇嘛，必须先到长宁寺当达喇嘛，才有资格升实胜寺当掌印达喇嘛，可见地位的尊高。长宁寺大殿正中供奉“圣宗佛”，还供有皇太极龙袍、寝具、弓箭等。据喇嘛讲，顺治生母博尔济特皇太后绣制的幔帐，顺治出痘时穿的小龙袍、枕头等，每年夏季必择日晾晒一天，叫晒龙袍。御花园的樱桃，粒大核小色红味甜，很得食者称赞。御花园后来成为近郊一个村庄，现今已辟为黄河大街和崇山路，成为皇姑区的通衢大道。

王尔烈寿屏

叶丽媛

“王尔烈百寿图”，是我国目前发现的最大的一幅寿屏，至今已有二百多年历史。

王尔烈，清乾隆三十六年(1771)为翰林院编修，参与我国巨著《四库全书》的编纂工作，是当时很有名望的文人。百寿图是嘉庆元年(1796)王尔烈七十寿辰时，由翰林院同僚和清政府官员以及社会名流为他祝寿，各自题赠的一幅书画而装裱成的立屏风。

寿屏在清朝初期就开始流行，到中期已非常盛行。《红楼梦》中记载，贾母八十寿辰时，一些亲朋好友送的就是寿屏，而王尔烈稍后于曹雪芹所生的年代，寿屏更为流行。

寿屏共分九扇，每扇高 2 米，宽 32 厘米，由檀香木雕刻而成。首尾两扇向前曲，中间七扇每扇有十八块用 4×4 厘米泥金纸书绘的字和画，其中有《四库全书》总编纂纪晓岚画的水墨仙鹤图、《红楼梦》刊刻者程伟元画的水墨双松图和书法家翁方纲、刘墉、王念孙等人书写的“寿”字。整个“百寿图”共一百二十六幅(有两人各送两幅)书画，其中寿字九十一幅，分别用真、草、隶、篆、蒙、藏等十馀种文体写成；画三十幅；诗

词五幅。每幅都署名钤印,“百寿图”可谓集清乾隆时期书画艺术之大成。

嘉庆四年，王尔烈从北京回到沈阳书院任教时，把这幅寿屏从北京随身运往辽阳故居翰林府。嘉庆六年(1801),王尔烈逝世。寿屏由王氏后裔收藏一百五十馀年,直到1953年才由他的六世孙王抚晨献给人民政府，收藏在辽阳博物馆。

奉天东大营

天　奇

奉天东大营位于沈阳城东福陵西侧，南临浑河,北靠沈吉铁路,面积约二百万平方米,是民国十一年(1922)张学良、郭松龄任职奉天陆军暂编第三、八旅时,由郭松龄建议兴建的。主要负责人是旅部副官刘梦瀛,1924年秋竣工。因它位于沈阳城东部，当时在沈阳城的北郊还有清末建的北大营,故相对而言称为东大营,亦叫东山咀子营房。

营房是按当时能驻一个混成步兵旅的兵力建筑的,分为东、西、南三个院,东、西两院并列,相隔约五百米。每院能驻一个步兵团,有一个团部的两层大楼(在南大门里的西侧)和三个营部的两层小楼以及十四栋东西向的平房，每栋二十五间，中间的一间为过道，能住一个步兵连。第一、三两营的住房在院的东、西两侧，成营纵队形；第二营的住房在院的北侧，成营方队形。各营部的住房在本营的前方。南大门内是个广阔的大操场。南院在西院的南侧，中间隔一公路。南院里西侧是旅部的两层大楼，另有平房十二栋，每栋二十五间，中间一间为过道。全院能住一个炮兵营和骑、工、辎等一个连。院的东侧为仓库和马厩。

东大营建成后，因连年作战，无固定驻军，至 1928 年夏，东北军由关内返回关外，张学良将军队缩编，东北讲武堂扩大，原在沈阳城小东边门外的校址已容纳不下，乃将东北讲武堂于当年 9 月迁到东大营。1929 年初第九、十两期学员、学生同时开学，共有学员、学生三千馀名，我当时在第十期步兵第三队任队副（相当于区队长）。

"九一八"事变时，东大营驻有东北讲武堂第十一期学员、高等军学研究班、步兵研究班、炮兵研究班学员和步、炮兵教导队学兵等约二千馀名。伪满时期南院被毁。东北解放后，中国人民解放军在此设炮兵学校，连年扩建校舍，比原来扩大数倍。

大连的博古堂

姜念思

1945年"九三"抗战胜利,日本无条件投降,苏联红军进驻大连。1947年秋,以谭震林、李一氓同志为首的一批华东局干部撤到大连,吴仲超同志当时任华东北撤干部管理委员会秘书长。吴老非常爱好文物,以前行军打仗时,让警卫员挑着他收集来的文物,闲暇时就拿出来欣赏。到大连后,吴老发现社会上流散的文物很多,就提议为党办一个古玩铺,收购文物古玩,店号叫博古堂。这个铺子原来是马泽溥个人在大连开设的一个古董商号,当时,通过关系将马聘请过来,仍用他商号的名称。博古堂地点在现在大连东方饭店附近的几间临街平房,同时还在那儿办了个茶社,主要是为我党探听消息。

经过一段时间的筹备,博古堂正式开业,经理曾达斋,副经理马泽溥、韩国儒,实际工作由马泽溥负责,共有工作人员七八名。由我党在大连创办的半公开性质的同利贸易公司领导和提供收购经费,文物只收不卖。

博古堂开张以后,收购的文物很多,有三代青铜器、龙泉瓷器、钧窑瓷器、翡翠炉、日本字画、金银木器等。

张作霖墓地

全 恕

1928 年 6 月 4 日张作霖在皇姑屯被日军爆炸身亡，灵柩先停放在帅府内，后浮厝于沈阳小东边门外珠林寺。张家选中抚顺铁背山麓，营建墓地（后称元帅林），拟将张安葬于此。不久，“九一八”事变发生，元帅林被迫停工。伪满时期张的旧部张景惠（伪满国务总理大臣）、张海鹏（伪满陆军部长）等发起，于 1937 年 6 月将张作霖尸骨运往锦县石山镇驿马坊安葬。驿马坊在医巫闾山馀脉石山的脚下。石山古称十三山，清康熙皇帝东巡，经过此地时歌咏“迤逦峰连大道间，凭空青削十三山”，乾隆也曾吟诗“自是闾山行尽处，画图云拥十三峰”。可见是一处受人青睐的风景胜地。

奉天轻便铁路和铁轨马车

舒玉瓒

1904—1905 年日俄战争时期，日军占领奉天后，强制修筑了由奉天到新民的军用轻便铁路，叫奉新轻便铁路，与当时的京奉铁路东端接通。日俄战争后，清政府用重金收回奉新轻便铁路，改成标准轨距，成为今天的沈山铁路线。其终点奉天临时车站就设在小西边门外，即现在的沈阳市政府广场。当时有一个站台，三条铁路侧线(道岔子)，南起市府大路北侧，北止惠工广场西侧，约有二十多间的简易平房，作为站务室及候车室，车站建设极为简陋。1928 年，开始兴建辽宁总站(原沈阳北站)，1930 年交付使用，同时拆除了临时车站。

奉天的铁轨马车，是在 1910 年由中日合办的"马车铁道股份有限公司"兴建的，由当时南满铁路的奉天驿(沈阳南站)经老道口、西塔、十间房(遂川街)、北市场，到小西边门的终点站，行程 5.23 公里。铺双轨，道轨与马路面相平，用双马牵引铁道马车行进。马车形似铁路货运列车的守车，能容三十多人，每人票价五分钱。驭手站在车门边驱马快跑，到十间房站车场时，那里有预先准备的套马，车一到站，马上换新马。当时这个公司有马二百匹，二十九辆铁轨马车，是古城与奉天驿间的主要交通工具。

1922 年奉天市政公所(即市政府)成立后，在原有铁道马车的基础上，又由中日合办了有轨电车，东起大西城门，西至奉天驿，1925 年全线开始通车。

奉天电灯厂

正　起

奉天电灯厂成立于清光绪三十四年(1908)农历八月二十二日，其前身是奉天银元局附设的电灯厂。因当年农历五月间银元局停铸铜元，乃由东三省总督徐世昌奏请清廷将银元局附设的电灯厂改为奉天电灯厂，厂址即在沈阳城大东边门里银元局的东侧。

当时电灯厂有两个发电机组，发电量只有三四千瓦,电压为一百一十伏,由丹麦人巴巴任工程师。因当时生产用电很少,所以白天只开动一个发电机组,夜间才两个机组全部发电,几乎全部为全城照明之用,是名副其实的电灯厂,电料大部是购用美国慎昌洋行的。

1925年因生产用电增多，特别是奉天纺纱厂成立,昼夜用电,于是在沈阳城小北边门外设立分厂,发电量大于本厂两倍。

1922年曾有翼任厂长时，为了培养电工人材,在厂内设立电工中学,名曰奉天电工学校,我是该校第二班毕业生。

“九一八”事变后,本厂因机器陈旧失修撤销,分厂在解放后由沈阳电业局接管。

奉天银元局

宪　礼

奉天银元局始建于清光绪二十年(1894)，其址位于沈阳市大东区大东路138号，今国营六一五厂。

光绪二十六年(1900)，奉天银元局成立造币厂，正式定名为奉天机器银元总局，用黄铜铸造铜钱，产量较大。民国元年(1912)奉天机器银元总局改为财政部奉天造币厂铸造银元。民国四年(1915)张作霖又将其改名为军械总厂代造处(兵工造币厂)，仍铸造铜币和银元。伪满时期又复称奉天机器银元总局，之后又改名为中央银行造币厂，铸造白铜货币，加工金银制品和各种勋章。1948年11月沈阳解放，该厂被人民政府接收。

北陵公园

赵　杰

清昭陵又称北陵，地处沈阳古城西北二十

华里的隆业山下，上承太祖福陵，下启世祖（顺治）孝陵，始建于清崇德八年（1643），于顺治八年（1651）建成。中经康熙、雍正、乾隆历朝增建，直到嘉庆六年（1801）全部完工。整个陵园占地四百五十万平方米，整个殿宇主次分明，错落有致，构成一组完整的建筑群，掩映在苍松翠柏之间。隆业山蜿蜒起伏，仲秋过后，昭陵红叶向为沈阳八景之一。

民国十五年（1926）九月三日，时任奉天昭陵监视员的苗文华，采纳众硕学通儒及有识之士的建议，并借鉴日本和西欧一些发达国家的经验，拟具了"筹备昭陵公园意见书"，呈给当时任奉天省长的张作霖，谓"昭陵地方，地势宏广、树木丛森，略加点缀，即可成为天然公园"。并详细陈述了辟建公园的具体意见和办法。张作霖对苗文华的意见书颇感兴趣，当即面谕有关人员添设陵园门面，"筹款监修，为开拓公园系有胜迹之基础"。并指令警务处、市政有关部门即刻着手公园的辟建工作，同时责成苗文华负责监修工作。

北陵辟建公园，基本上是依苗文华的意见书所提建议进行的。大体可分为两部分：第一，陵园的维修与建设。包括新建北陵东红门外钟楼工程及修建陵园正门门脸等。此项工程于民国十五年（1926）九月开始到民国十六年（1927）三月竣工，计用奉大洋 1829.33 元。第二，开放陵园配套的管理、服务设施建设。主要有：一、设立公园派出所，维持公园治安，保护游人安全；二、陵内所有保甲人员，统一着警察服装，加强公园管理；三、设立商饮服务设施及营业摊点，出售烟、酒、糖、茶、点心等物，方便游人；四、设立电车、马车、人力车停车点，加强车辆管理，保证道路畅通；五、公园内道路两旁设置路灯，为夜间游园提供方便；六、采取必要措施，加强园内绿化及花木管理，保护其优美的自然环境。

民国十六年(1927)四月底，经过半年多的紧张施工和筹备，北陵才开始开放。二十九日《盛京时报》记者《赴北陵一游》记述："甫入松树丛中，见有'昭陵公园'四字，再前行则春色满园，香气四溢。游人至此，不啻身在世外桃源，俗尘不染。闻苗君云：'……对于公园事项亦正积极进行中。'果尔，则北陵公园之前途当有无量希望云。"

郝浴与“银冈书院”

王国兴

人们来到铁岭市银冈书院“周恩来少年读书旧址”纪念馆，缅怀周总理的时候，都会自然地想起银冈书院的历史和它的创始人郝浴。

郝浴，字冰涤，又字雪海、复阳，中山是他的号，直隶定州人。清顺治六年(1649)举进士，授刑部主事。

清顺治九年(1652)郝浴任湖广道御史，前往四川巡按，发现平西王吴三桂及其部将骄横跋扈，欺压百姓，以征讨川南草寇为名恣为贪虐。他便采取了许多严格的措施，限制吴等人的不法行为，吴三桂及其党羽对郝浴恨之入骨。一次，郝浴在保宁监临乡试，南明孙可望反清部队闻知，出动数万人围攻保宁城，企图置郝浴于死地。而吴三桂按兵观望，不肯救援。郝浴上疏朝廷，列举了吴三桂拥兵观望的情节，弹劾吴三桂的爪牙临阵畏缩。吴三桂得知后恼羞成怒，罗织郝浴罪状，唆使降将董显忠到北京诬告。

清顺治十一年(1654)，郝浴被谪戍奉天。一次他到铁岭访问著名高僧剩上人，看中了铁岭的名胜，爱上了银冈这块沃土，“卜地结庐，造屋三间”，取名“致知格物之室”，既是他寝食诵读的所在，又是他给弟子讲书教学的场所。

康熙十四年(1675)清廷下诏将郝浴从铁岭召回，复授湖广道御史。郝浴在离开铁岭的时候，把自家居室献给铁岭民众作为士子读书处，把“致知格物之室”改称“银冈书院”，把二十多年购置的二百二十五亩土地和城内西南隅的一段地基献给书院，留为生徒肄业之资。在他得知将要奉召还朝离开铁岭时，写了一首题为《银冈行》的诗，表达他对银冈的眷恋：

自从束发亲灯火，弱冠登朝遂作狂。
俯身东戍黄龙下，红颜绿鬓尽沧桑。
二十余年寝不寐，天涯回首月如霜。
虽恨百忧沦瘦骨，犹喜心开书一囊。
洛下真儒宗孟子，翰墨直闻泗水香。
晨登讲席歌尧舜，千山翠色落银冈。
可知天道终归正，从此丹山起凤凰。

为仰慕郝浴的为人，缅怀他创建银冈书院

的德政，铁岭人在书院后面修建了郝公祠。

王尔烈掌教沈阳书院

刘振操

关东才子王尔烈(1727—1801)，字君武，号瑶峰，辽阳人，少承家学，曾在千山龙泉寺读书，乾隆三十六年(1771)殿试二甲第一名进士，授翰林院编修，累迁内阁侍读学士，历充《四库全书》处三通馆纂修。乾隆四十二年(1777)，王尔烈从北京回乡探亲期间，曾邀友人杨君实等人同游千山，作诗二十馀首。

嘉庆元年(1796)，嘉庆皇帝即位后，邀王尔烈参加“千叟宴”，嘉庆皇帝赐王尔烈御制诗一章。嘉庆四年(1799)，王尔烈以大理寺少卿致仕(退休)，到盛京掌教于沈阳书院。

沈阳书院创办于雍正初期，地点在德盛门(大南门)里街东，有讲堂、斋房等三十多间，是当时东北地区的最高学府。一些著名的学者多在此设坛讲学。王尔烈在沈阳书院掌教时，为书院题写了“沈阳书院”四个大字的匾额，悬挂于书院的大门之上(后被入侵的俄军毁掉)。王尔烈的书法，宗法于王羲之、王献之父子，骨肉匀停，笔力遒劲，足为后世书家之楷模。

王尔烈在沈阳书院掌教时，与当时盛京将

军晋昌的幕僚、也到沈阳书院兼行讲学的程伟元过从甚密。程伟元工诗善画,长于书法,与高鹗同续《红楼梦》后四十回,并最早将《红楼梦》刊行于世。王尔烈与他不时唱和,并有书画往还。

王尔烈于嘉庆六年(1801)去世。他闻名于世的诗、文、书法多已散失,后经现代著名学者金毓绂先生访其遗著多年,补辑其诗文《王瑶峰集》二卷,刊收在《辽海丛书》中。

周恩来不忘师生情

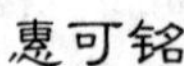

1911年辛亥革命前夕,十二岁的周恩来远离江苏淮安故乡,随伯父周贻谦来到奉天。周老先生当时任奉天省度支司(财政厅前身)文案(等于秘书或科长,文案俗称师爷,管政法的叫红笔师爷,管文牍的叫黑笔师爷),住在大东关魁星楼西边,这里有许多江浙人家。周恩来进了奉天省立第一小学校(现第六中学),校长是魏凌阁先生。魏校长之子魏启元和周恩来是同学。据魏启元讲,周恩来当时很喜欢看魁星楼一带傍晚的景物,成群的燕子、蝙蝠围绕魁星楼飞来飞去吸食蚊蛾,蔚为壮观。建国后,周恩来几次来沈,公馀之暇总要去看当年读书的学校,有时派秘书去访问有无健在的教师和同学。1957年，曾扩情、庞镜塘来辽宁任省政协文史专员，恰是农历正月十五，周总理在北京邀两位吃元宵时说，沈阳是我童年受启蒙教育的地方，两位到沈后，请去魁星楼附近，打听一下魏凌阁校长近况如何，见着时代我问候。魏凌阁病逝，周恩来闻讯曾电汇五百元奠仪，许多人深受感动。至今沈阳人无不笃念周总理不忘师生情谊的美德。

同泽新民储才馆

留　郡

张学良将军为造就文武兼备的人才，以充县知事，于1927年末报请其父，在北京东城府学胡同段祺瑞故居，创办同泽新民储才馆。其意是世界大同，袍泽与共"在新民，在止于至善"而储备一批文武兼优的人才。

1928年1月补行开学典礼。张将军亲临训话："你们都是大学生，学问比我高，现又继续深造，前途无可限量。你们要以馆训'忠勤廉慎'四个字作为座右铭。言之匪艰，行之惟艰，必须永久地身体力行，不可当做口头禅……"。

储才馆学法学时让学员作审判的演习，写出判决书；学赋税学时强调要以公平、普遍为原则，征收田赋和杂税应不畏强御，一律催缴，以

裕财政；条约课讲外交理论、惯例和外交家的风度；公牍课讲当时应用的公文程式，如呈、咨、函、令等各种文电的体裁，以及“呈悉此令”、“等因奉此”一系列的行文术语；军事学讲新旧兵法和攻守的战略与战术。课程设置新颖，讲课生动，很受学员欢迎。

1928年6月3日东北军撤回关外，储才馆迁到沈阳。1929年夏学员毕业，按学习成绩的名次分别派任县长、军法处长、股长、承审员等职务。

东北交通大学

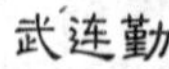
武连勤

在中国人民反日风潮方兴未艾之时，张作霖着手修建葫芦岛港，以与日本霸占的大连港相抗衡，并欲修锦(州)爱(辉)铁路，与日本把持的南满铁路相对峙。民国十六年(1927)，张作霖以北京交通部名义，在锦州建立了东北交通大学，亦称唐山大学锦州分校。校长由张学良兼任，实际负责人为副校长于世秀，教务长刘百昭。地点在今锦州火车站之西，双桥洞西侧。9月19日举行开学典礼。是日，锦州名流与东北地方最高行政长官、军政要人齐集一堂，共庆新生入学。执法处长常荫槐，曾为学校横书一校名：“东北交通大学”,今其墨迹遗照犹存。

1931年“九一八”事变,日军占领沈阳后,张学良只好把辽宁省政府迁到锦州,以东北交通大学校址作为省政府所在地。大部分学生撤到北平,后编入北平大学交通系。

张学良的第一位启蒙教师

邰　志

张作霖幼时只读过一年私塾,所以发迹之后,在官场角逐中,吃了不少不通文墨之苦,甚至闹出笑话,给人们留下笑柄。为了不叫自己缺少文化之痛苦再在儿女们身上重演,他一心要把儿女们培养成为通达事理的文武全才,对长子张学良的培养更是关心。当张学良刚满七岁时,张作霖便精心选聘了八角台(今台安县城)的儒学名流崔名耀担任家庭塾师。

崔名耀,字骏声,今台安县城郊乡四道河村人。此人是光绪末年八角台的出名秀才,宣统元年曾任奉天谘议局选举监督员。因学识渊博,又孚众望,所以张作霖在八角台当团练长时,对他很器重。1906年张作霖任五营统领时,特意将崔名耀调到新民府委任为统营的主稿员(相当于现在的秘书职务),既从事办理文案的公务,又兼任家庭塾师,教张学良和他的姐姐读书识字,成为张学良的第一位启蒙教师。

幼年时代的张学良聪颖好学，在崔名耀的热心教诲下，由启蒙读物的《三字经》、《百家姓》，一直读到经史子集。由于崔名耀循循善诱，教导有方，所以深得张作霖的赏识。1919年崔被正式委任为东三省巡阅使公署教读，继续为张学良的弟弟、妹妹们施教。1922年被张作霖提任为巡阅使公署秘书处秘书。

阎宝航创办奉天贫儿学校

王贵忠

阎宝航，字玉衡，辽宁海城人。1918年毕业于奉天两级师范学校，任奉天基督教青年会干事。毕业前实习期间，他在青年会创办了免费学校——奉天贫儿学校，收容省城内失学的儿童入学，借用青年会英文夜校教室，向社会募捐办学。贫儿学校免费供给学生课本和纸笔，聘请义务教员任课。省城出现了开天辟地的新鲜事儿："白念书，不花钱。"

贫儿学校得到社会各界的支持。张学良、郭松龄、张志良、于凤至、韩淑秀等捐款资助，决定扩大招生，省政府拨给大南门外土地新建校舍，教育厅每年补助部分经费。吴俊升的三姨太吴助君（李氏）捐现大洋万元建房三十间，学校得到很大发展。1926年至1928年，先后在大西门、大北边门、大南门建成三个分校。总校设有高级小学三班，初级小学十二班。第一分校还增设半工半读班一百二十人。贫儿学校共有学生一千八百人，教职员二十人，以及义务教员十馀人。历任校长阎宝航、张璞山、关纯厚都是义务职，校内劳动都由学生和教员亲自动手，开创了新的社会风气，反映了阎宝航初期的“教育救国”思想。

乔有年拜师

张奎藩

乔有年，字春溪，旅顺大潮口人。清同治壬戌科(1862)进士。

乔有年考中进士回乡省亲、拜师。塾师得知有年要来拜望，师生晨起便装束一新，立候书馆门前。日上三杆不见人影，塾师派生童去打探，回报说，乔老爷现正在其岳父家吃茶。塾师听后，令学生立即回座读书。有年喝罢茶，悠然来到书馆。只见馆前冷冷清清，但屋内书声朗朗。有年跨入馆内，无人理睬，只好躬腰立于门下。少许，塾师低着头冷言道：可是乔大人驾到？有年见恩师有所怪罪，便跪在孔子像前，不敢作声。约有一炷香时，塾师才缓缓地说：起来吧。有年起身，塾师训斥道："临试前，我打你两板，意在改你粗鲁习性，想不到中榜后竟搞'天地君亲岳'！"有年再三谢罪说：学生永远不忘"天地君亲师"！

后来，乔有年历任山东蒙阴、章丘知县，任内是非明断，清正廉洁。后出任知州，政绩卓著。山东吕剧《乔老爷上轿》即依他的轶事而编。

车向忱办平民夜校

王贵忠

车向忱，原名车庆和，辽宁法库人，1897年生，是中国教育家。1925年大学毕业后在沈阳办平民夜校九所。1928年成立奉天学生平民服务团，为工人和农民办夜校。9月，车向忱带领十三人去沈阳西北郊大含英屯宣传扫盲，村小学校长雷子阳和全体教员支持办夜校，在小学设立四个班，招收一百二十名农民，免费入学。不久，沈阳城附近的新立屯、陈相屯、李石寨、文官屯四村农民夜校也相继创立。

平民夜校是工农补习文化的扫盲学校，由办学者免费发给课本，每天晚上学习两小时，四个月读完《平民千字文》、算术和公民常识。车向忱在沈阳成立奉天平民教育促进会，推动全省扫盲运动。他认为："平民教育为今日救国之教育”,使工农群众“有劳动者的身手,科学的头脑,改造社会的精神”,还可以“唤起民众,抗日救国”。一年以后,辽宁省教育厅把奉天平民教育促进会改为辽宁国民常识促进会,作为省属社会教育机关。阎宝航任主席,车向忱任主任委员负责具体工作。平民学校改名为国民简易学校,由沈阳推广到全省各县、村、镇。继续发动中等学校以上的学生、中学教员、小学教员兴办工农夜校。

到1930年,辽宁全省共有工农夜校一千三百零二所,学员四万五千七百一十六人。工农夜校设在当地中小学,中小学教员任义务教师,社会教育与学校教育初步结合。工农夜校是扫盲的好形式,它为家庭生活艰难而失学的人提供学习文化的机会,免费读书更是贫苦人家子弟的福音。

冯庸大学的一对石狮子

白　欣

“九一八”事变前,沈阳有一所规模仅次于东北大学的冯庸大学。它的创办人和校长是冯庸,其父冯麟阁与张作霖是结义兄弟,并同是北洋政府高级将领,他与张学良也就成为兄弟相称的世交。张学良捐资兴建东北大学之后,冯庸也“毁家兴学”，在沈阳南满铁路西侧（浑河机场迤西），创办冯庸大学并自兼校长。冯庸大学与位于北陵的东北大学，一南一北遥遥相望，都为国家培养了一大批有用人才。

“九一八”事变后，冯庸大学校舍被日本侵略军炸毁，学校解体。冯庸进关投靠南京国民政府，屡任军事要职。东北光复后，冯庸以中将军衔任国民政府东北行辕政治委员会委员，兼东北物资统一接收委员会监察处长。这时的冯庸仍念念不忘当年的冯庸大学，讲话中也常常提起冯庸大学往事。1947 年秋，他特地邀请冯大的在沈同学，举行一次纪念性集会，并集体去冯大旧址凭吊一番。只见昔日教学大楼仅剩一堆瓦砾，惟有校门前的一对石狮子弃置蒿丛，完好无损。冯庸慨叹之馀，命人把石狮运回市内。此刻，东北人民解放战争进展迅猛，国民党军节节败退，冯庸预感到国民党失败的命运已无可挽回，自己也难在沈阳久居。为了身后在故乡留点纪念，便请工匠在石狮的基座上，工整地镌刻“冯庸大学”四个大字，涂以金漆，安放在和平区新华路广场东侧路北他的办公楼门前（此楼解放后曾改为东北人民政府财政部幼儿园）。

陈镜湖热心从教

李学英

陈镜湖,1910 年 10 月 25 日出生于热河省建昌县(该县现归辽宁)哈巴沁南村,字印谭,号小秋,化名李铁然。八岁从父读书,在同学中享有“铁杆文章陈龙川”之誉(龙川亦镜湖)。1919 年他在天津参加了“五四”爱国运动,并结识了李大钊。1923 年加入中国共产党,是早期的革命活动家, 原热河省和内蒙地区党组织的早期建设者和领导者之一, 也是朝阳地区最早入党的革命先躯。他不仅对党的事业矢志不渝,忠心耿耿,为后人所敬仰,而且他还是一位积极投身教育事业的实践者。他一面自己刻苦学习,一面以极大的热心从事义务教学活动, 在他所在的直隶中学的太阳宫宿舍办起了平民小学, 招收附近贫苦人家子弟四十馀名。学校无经费,教学无报酬, 教员从品学兼优的学生中选拔, 发给聘书。陈镜湖边读书边教学,每天放学后便与其他义务教员一起到平民小学授课,一天两小时,直到考入南开大学为止。任陕西省蒲城县县长时,勤政为民,重视教育,创办了“蒲城县立国民师范学校”,亲自为学校写校匾,并兼任校长,为蒲城县教育事业的发展作出了重要的贡献。

1924年陈以直隶省代表身份参加了中国国民党第一次代表大会，多次拜见孙中山，探讨救国救民的真理。他还是我党的"五大"代表。他先后担任过热河民军司令，内蒙古工农大同盟中央执行委员，冯玉祥国民军的骑兵旅旅长，陕西省蒲城县县长，中共内蒙古特委书记等职。1933年从张家口去张北地区点验抗日部队时，遭反动民团袭击，不幸光荣牺牲，年仅三十二岁。

袁克定在奉天

宾　籍

清政府派往地方的最高长官，叫作总督，如两江总督、湖广总督等。总督一般管辖两省的军事和政治，但直隶总督只管直隶一省，东三省总督则管奉、吉、黑三省。直隶总督、东三省总督都加钦差大臣衔，其他各地总督没有这个头衔，因直隶是中央直辖省份，东三省是清朝发祥之地，加钦差官衔，以昭重视之意。光绪三十三年(1907)徐世昌来东北的官衔，头一项是钦差大臣，第二项是都察院都御使，第三项是陆军部尚书，第四项是东三省总督兼管三省将军事务。

当时直隶总督袁世凯与徐世昌，既有总角之交，两人在清廷又同殿称臣，彼此关系非常密切。袁世凯驻节天津，对于过境的重要人物，向不迎送。惟独在徐世昌离京赴奉履新路过天津时，袁竟亲往老龙头车站迎候。袁、徐两人密谈有时，最后袁让徐把他大儿子袁克定带往奉天，安排一个差事，叫袁克定历练历练。

徐抵奉后，立即委任袁克定为奉天陆军小学堂监督。袁克定视事后，首先感觉陆军小学在大北边门内(今八王寺的西侧)，地点偏僻。尤其入夜，校内外一片漆黑，学生都在油灯下复习功课，非常不便。他特地拍电报给他父亲，请从天津购买一部小发电机，火速运到沈阳。陆军小学是沈阳头一个有电灯照明的。城里老百姓扶老携幼，去陆军小学看不点油的灯。

吴俊升助学赈灾

党　新

1916 年春，吴俊升从奉天返回辽源途中，见沿路灾民无力春耕者甚多，当即慨捐奉洋三千元，俾助农民春耕。吴回镇署后又劝导所属人员一律踊跃捐输。同年 7 月，辽源水灾严重，连日辽河水势暴涨，县公署、审判厅、商会、电局各机关附近均成一片汪洋。吴俊升亲赴各栈店，查阅难民情形，很感同情，遂自捐赈款五千元，后又助赈款五千元。同时命各粥厂日炒盐豆若干，每至放粥之际按人分给。1924 年木兰县因匪患滋扰,播种失时,各乡人民多半无粮糊口。吴俊升虑及若不救济恐生意外,遂筹谷四百石经哈尔滨转水路运至木兰县予以救济。吴俊升出身行伍,不通文墨,但在他的私人开支中还有一笔兴学费。在洮南一带,确有一些子弟是靠吴俊升的兴学费读书的,甚至还有靠吴的资助留学国外的。他兴办辽源、昌图兴权小学,不惜出私产巨万。1924 年 3 月 8 日,吴俊升由奉返黑路过辽源省亲,对各校学生赏奉洋八百元以助学生笔墨之需。另出款一万元,捐助各校建筑经费之不足。1926 年 4 月,因奉天贫儿学校经费艰难,吴俊升特出资捐助该校奉小洋二百元。

奉天首家西医院

佟佳哈拉

英国传教士司督阁于 1882 年来到东北,先住在牛庄,翌年春到达奉天省城,在小河沿三义庙附近设一个施诊所。当时沈阳还没有西医,人们很怀疑洋鬼子哪有好心肠给中国人治病,不过是打着治病幌子陷害中国人罢了。由于司督阁给一位已双目失明,在旁处医治不好,抱着试试看来求诊的商号老板,摘出眼中遮光发浊的物体,几天后病人就看见东西了,这才使人相信外国人也能治病。随着诊所医疗业务的发展,司督阁于1892年招收八名中国青年，用带徒弟的方式对他们进行医务培训。1907年5月，他又正式成立盛京施医院，招收宁梦岩、李树华、李树德等十二名青年，仍是一面学习医务理论，一面临床工作。后来司督阁又建立一所医校，即盛京医大的前身，并选送学生去英国、丹麦留学深造，有眼科高文翰、肺痨病科刘仲明、外科吴英凯(人称吴一刀)。高、刘、吴等几位大夫，不单医术精湛受人尊敬，其爱国热诚，尤彪炳史乘。1945年“八一五”日本投降，奉天城首先挂出中国国旗的是盛京施医院大楼。

张学良与东北体育

黄文宪

张学良将军不仅是一位爱国将领，为抗日救国名垂史册，而且对东北体育事业的兴起立下了不可磨灭的功勋。

张学良将军热爱体育运动，如打网球、高尔夫球、跳远、骑马，他还会驾驶摩托车、汽车、飞机。自执政东北后，就致力于民众体育的发展，主张强民救国，励精图治。自1928年他兼任东北大学校长后，在东大首先创设体育专修科，由著名体育教授郝更生担任科主任，聘请留学美国的吴蕴瑞、宋君复、王文林、彭文全、申国权等人为教授。还不惜重金以每月八百银元聘请五千米世界纪录保持者步起为田径教师。武术教师是全国武术高手李健华先生。在 30 年代东北三省体育教师奇缺的情况下，为我国培养了一大批体育方面的人材，是东北体育事业的开拓者。

张学良将军为发展东北体育事业和培养体育人才，于 1928 年捐款二十六万银元在东北大学校园建立一所现代化体育场，能容观众三万馀人，是当时国内一流的体育场，在这里举办了四次大型运动会。为了提高体育竞技水平，在张学良将军倡导下，1928 年 10 月在奉天举行第一次东北三省运动会，推动了东北三省体育运动的开展。1929 年 5 月在新建的东北大学体育场举办了第十四届华北运动会，张学良将军亲任大会主席，并参加了跳远比赛。东北大学学生刘长春以十秒八的成绩创造了全国百米纪录，辽宁获得团体总分第一名。

1930 年 4 月，在杭州举行的第四届全国运动会上，东大代表队获得全国团体总分第一名，刘长春一人独得四枚金牌。张学良将军还慷慨解囊捐款八千块银元支持刘长春作为中国惟一的运动员参加 1932 年在美国洛杉矶举行的第十届奥运会，为中国立足于世界体育之林写下光辉的一页。

白玉霜三进营口

于阜民

被誉为“评剧皇后”的白玉霜，在民国期间曾三次来营口演出。

1923 年秋，十七岁的白玉霜同“胎里坏”李同和等人第一次来营口演出。他们在升平舞台演出《马寡妇开店》、《王二姐思夫》、《花为媒》等剧目。但营口观众喜欢奉派的“大口落子”，而白玉霜是关内的“小口落子”，故没有唱红。

1926 年，白玉霜重整旗鼓，再次率班来营口。演出《珍珠衫》、《桃花庵》等戏，给营口观众留下了很好的印象。

1934 年，白玉霜第三次来营口。同来营口的还有著名评剧小生安冠英。她们在营口升平舞台合作演出《王少安赶船》，清装评戏《破腹验花》等剧目。尽管此时白玉霜已颇有名气，但营口此时已沦为日本殖民地，汉奸、地痞想方设法对白玉霜进行纠缠、凌辱。无奈，白玉霜只好与营口观众不辞而别。

白玉霜由营口去上海后，颇受上海观众欢迎，很快蜚声全国评剧舞台。

奉天的兴发园和长发园

佟尔佳

奉天的戏园出现在清咸丰年间，最初只有兴发园和长发园两处。兴发园在小北关元宝胡同北口路西，胡同前后是山西票号钱庄集中的地方。兴发园演出的戏种大多是山西梆子,观众大都是晋省旅奉官商人士。长发园在小西关街北,演出的戏种很杂,有梆子、有地方戏。总之,这两个戏园都不是正规的京戏班子，也没有坤角演出。庚子年(1900)俄军进据奉天,这两处戏园就停演倒闭了。

1906年日俄战后,奉天省城日趋繁盛,商贾云集,梨园如雨后春笋般出现。有小南门里天桂茶园、小北门外天仙茶园、鼓楼北会仙茶园、石头市庆丰茶园、小河沿百花楼。这些茶园演出的大部是天津梆子,开始有坤角搭班演出,其中梁月楼颇受顾曲家的欢迎。光绪末年大西关平康里又增添两所戏园，一是第一楼，一是鸣胜茶园。

张瑨画《深山古寺》

田作印

张瑨(1847—1935),字朵珊,号石门樵客,别号云林,朝阳市建昌县要路沟人,清朝宫廷画家。其作品以水墨为主,辅之以淡雅的色彩,不但构图严谨,立意深刻,而且继承了传统的兼工带写、神韵自如的画风,线条流畅,笔法简练,代表作有《李仙图》、《竹林七贤图》等。

在同治年间,朝廷举行一次全国大汇考,张瑨也赴京赶考,绘画的考题为当场创作一幅《深山古寺》。对此考题,众多应试者各展所能,各有所思:有画在高山腰间坐落古寺的,有画两山夹谷修寺的,有画山中只露一尊庙顶子的,真是各有千秋。而张瑨既不画古庙,也不画庙顶,只是用简洁的技法画了一个老和尚往深谷里挑水。由于此画立意深、构思新、技法巧、运色活而被朝官和太后一眼看中,一举被录为“宫廷画家”。只因他家有老母,而未入宫就任。但由于张瑨是朝中钦定的“宫廷画家”,从此他所作的书画,均盖有“臣张瑨印”的图章。

沈垣书画艺苑名家

南　子

张之汉，字仙舫，沈阳“辽海金石书画研究会”会长，擅长国画，工笔山水、花卉，以画梅花见长。曾任奉天省实业厅长，东三省盐运使，对中医学亦有研究，是位多才多艺的文士，1928年病逝。

葛月潭，字明新，清末蓄发为道士，五十岁左右出任沈阳大清宫方丈。精于书画，擅长画兰，隶书行草，别具风格。当年徐世昌总统寿辰，张作霖送的几扇寿屏，就是邀他画的兰草，以表君子之交，如芝兰之香。

杨令茀，江苏无锡人，是近代中国著名的女画家。持独身主义，擅长山水、人物、花卉，尤工行书。她曾临摹清宫贮藏的历代帝王像，在沈展出时，颇受欢迎和赞许。杨女士具有民族意识，伪满当局曾多方罗致，她始终未陷入泥淖，终身从事绘画、写字。

王光烈，字希哲。东三省公报馆长，人称关东三才子之一（其他二人为开原游国臣或是关海清和吉林荣孟枚）。王光烈不但以诗见长，且精于金石，擅长各种书体，如大小篆、钟鼎、古泉、碑帖等。解放初期，病逝北京。

孙玉泉，河北丰润县人，后迁居沈阳，长于画人物仕女。张之汉死后，他继办“辽海金石书画研究会”，其子女均有家学，精于丹青。

东北大学还有几位书法家，如章士钊教授的颜、柳体；黄侃教授既以诗词著称，也工书法，行书飘逸有神；吴北江教授行书、楷书功力深厚；王晋卿教授工行书，绘水墨山水，学宋、元笔法。以上诸位教授的书法、绘画，很受时人的称赞。

鞍山众声剧团的创立

鲁　特

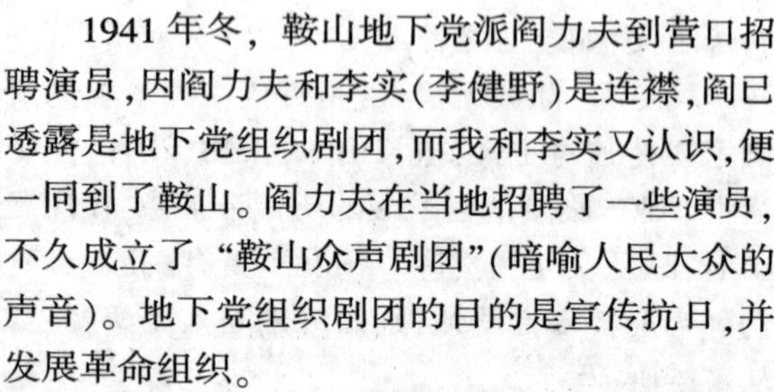

1941年冬，鞍山地下党派阎力夫到营口招聘演员，因阎力夫和李实(李健野)是连襟，阎已透露是地下党组织剧团，而我和李实又认识，便一同到了鞍山。阎力夫在当地招聘了一些演员，不久成立了“鞍山众声剧团”(暗喻人民大众的声音)。地下党组织剧团的目的是宣传抗日，并发展革命组织。

1942年春天，这个剧团首次演出了由阎力夫编导的话剧《警惕》。该剧反映一群青年失业后，生活无路，思想苦闷，因而吸上了鸦片，住在一所贫民窟里，为寻找工作和争取生活出路而斗争。我饰吸鸦片的青年。演出后，在进步的社团、文化界中颇为震动。但是,在当时的社会制度和政治气候下办这样的剧团,无论从组织上还是经济上都是难以维持的。演出几场后,演员的生活就发生了困难,有时忍饥挨饿。这时,阎力夫每天晚上都给一些演员讲当时关内共产党领导的八路军抗战的胜利消息和左翼文艺工作者的革命精神,给了我们很大安慰和启迪。

宋老帅的一笔虎

潘　研

“宋老帅”是旅顺当地人对清末驻守旅顺的将领宋庆的别称。宋庆,字祝三,山东蓬莱人。1874年调任四川提督,1882年移屯旅顺。1886年4月,溥仪的祖父醇亲王奕譞,在巡阅北洋防务时,曾到旅顺检阅陆防清军诸营,并因宋庆训兵有方,亲自脱下身上穿的袍服作为嘉奖赠与宋庆。后奏光绪帝加封宋庆太子少保,尚书衔。

宋庆驻旅顺期间,除致力军务外,还酷爱书法艺术,颇有儒将遗风,尤擅长一气呵成写“一笔虎”。据传,在他饮酒方酣乘酒兴挥毫而就者为多,而且愿将墨宝赠与他人。所以凡有欲索要者,多置美酒佳肴前来求之,宋庆对来者一概不拒,让他们满意而归。可惜由于年代久远,宋老帅的“一笔虎”大都流失。惟有在山东蓬莱阁天

后宫前院西侧，留有“一笔虎”字碑一块。此碑为宋庆在1898年10月书于旅顺，笔力遒劲，字形端庄。至于此碑如何从旅顺口跨海而至蓬莱阁内，尚无详据可考。

《四库全书》迁运始末

姜念思

1948年4月，沈阳战情紧迫，国民党当局预感东北难保，决定将沈阳文献、文物，包括沈阳故宫文溯阁保存的《四库全书》迁运到北平。为此，教育部特聘国立沈阳博物院筹备委员会主任委员金毓黻先生为东北文物迁运保管委员会主任委员，马衡、袁同礼、于子水、杨振声等为委员。5月6日在北平召开了第一次委员会会议，研究迁运问题。会议一致反对《四库全书》迁运，认为《四库全书》在内地还有三部(承德文津阁、杭州文澜阁、北京故宫文渊阁)，沈阳文溯阁《四库全书》太重，需费太巨，一时不易运出，决定从缓办理。对这次会议，教育部颇为不满。5月22日，教育部长朱家骅给金毓黻一封措词严厉的信，责令《四库全书》连同其他满文老档及上年接收长春伪宫善本悉数迁运，“否则，万有意外，则将来谁负其责！”

国民党当局迁运《四库全书》之举，遭到各

方面的反对，沈阳博物院筹备委员会委员阎文儒称《四库全书》“关系东北文化之启迪”，公开反对迁运。负责为《四库全书》迁运借垫运费的国民党东北“剿总”卫立煌考虑到《四库全书》迁运影响甚大，恐动摇民心士气，6月4日也致电教育部长朱家骅，商请缓办。金毓黻也以各种借口予以拖延。6月16日他再次致函朱家骅部长：“文溯阁《四库全书》迁运一事现正积极洽办，惟以所请运费一百五十亿元未奉核准，是以无法起运。”7月1日教育部东北文物迁运委员会召开第二次会议，教育部特派教育司司长英千里参加，会上决定仍遵教育部指示将《四库全书》运平保管。

然而，《四库全书》卷帙浩繁，迁运谈何容易。全书原以七册或八册装成一木匣(函)，共六千一百三十八匣，总计重三万一千公斤。木匣皆用樟木制成，当时，筹划以十匣装成一箱方无损坏之虞，共需木箱六百七十个(含文溯阁藏古今图书集成、四库全书总目、考证、分架图等六百馀匣)，所需制箱及包装费用照最低估计约为八十亿元。当时，国民党已经风雨飘摇，此项巨款实难筹措。11月2日，沈阳暨东北全境解放，文溯阁《四库全书》迁运计划终成泡影。

蒙古族文学家尹湛纳希

田作印

尹湛纳希，汉名宝衡山，字润亭，是成吉思汗第二十八代孙，1837年生于土默特右旗忠信府（今辽宁省朝阳市北票下府乡中心府村），卒于1892年，享年五十五岁。

尹湛纳希是我国近代一位博学多才的蒙古族文学家，精通蒙、汉、满、藏等族语文，用蒙文翻译了汉族文学巨著《西游记》、《三国演义》、《聊斋志异》等，撰写了其父未完成的长篇历史巨著《大元盛世青史演义》，创作了《一层楼》、《泣红亭》、《红云泪》三部反映蒙古族风土人情的长篇小说，及大量的诗歌、散文、绘画作品等，被后人誉为“蒙古族的曹雪芹”。他继承了蒙古人以骑射为重的传统，自幼学习拳法剑术，练就了一身过硬的功夫，行侠仗义，扶危济贫。

相传有一天，尹湛纳希独自一人正在忠信府的后花园荟芳园中练锏，忽听对面的杨树林中有人喊“来人啊，救命啊”！接着是一声一声的惨叫。他顺着喊声提锏跑去，到近前一看，几个公子哥正持刀威逼侮辱一个柔弱女子。尹湛纳希义愤填膺，说声：“看锏！”就向那几个家伙打过去。开始，那几个家伙仗着人多势众，毫不在乎，翻着白眼，将刀逼过来。尹湛纳希左拼右刺，气盛势锐，只几个回合，那几个家伙就只有招架之功，无还手之力了，一个个灰溜溜地抱头鼠窜。那个弱女子连惊带吓，不知如何是好，尹湛纳希即护送她走出杨树林。

梅兰芳看望筱凤仙

惠德安

故事片《知音》和话剧《一代风流》中主人公蔡锷和侠妓筱凤仙，是 1916 年护国之役的中心人物。袁世凯背叛民国准备当洪宪皇帝，蔡锷逃离北京，潜往云南，组织护国军出兵川黔，使得各地反袁势力风从，迫使袁世凯丧命。其间筱凤仙做出过特殊贡献。后蔡锷病逝日本，她脱离妓籍离开北京，辗转流寓辽宁省铁岭，住有二十馀年，后迁往沈阳。1951 年梅兰芳院长率中国京剧团赴朝慰问演出，回国路经沈阳，梅院长在京曾风闻筱凤仙流寓在沈，特请沈阳市公安局赵因科长设法查询她的住址。经查户政册档，遍寻并无筱凤仙这个名字，后又再查五十上下年龄，说话是江浙口音的女人，查了三天，终于在和平区中山路秋林公司东院，查访出有位烧锅炉的王姓工人，其妇年龄口音仿佛像是，经询果是筱凤仙其人。回告梅院长并问是否邀她来宾馆一晤。

梅说她是位有名声的人物，切不可让她先来看我，况是我想见她，礼貌上我得先去拜访她才对。遂派人购买许多礼物，亲自去看望筱凤仙。两人晤面后，梅院长频频问她生活和健康情况，她说身体无病无灾，现在靠劳动过布衣素食生活，心态怡然自乐。梅很想有所馈赠，但她坚决拒收。两人晤谈有时，梅方辞去。1981 年 9 月《北京晚报》曾报道："50 年代赴朝慰问团回到沈阳时，筱凤仙曾到旅馆去看望梅兰芳，她要求梅为她保密，梅兰芳仅把这个情况告诉了近代史专家荣孟源。上面的话，就是荣孟源讲述的。"此两说虽然略有不同，但梅兰芳与筱凤仙在沈会面则是确定无疑的。

北京颐和园的设计者

吴润令

驰名中外的北京颐和园，清光绪十四年(1888)兴工。宫廷画家庆宽奉旨设计绘图，凡宫殿、楼台、亭榭以及点缀各景图样，皆出自他的手笔。

庆宽(1848—1927)，字筱珊，别号松月居士，晚号尘外野叟，又号信叟，正黄旗人，原籍铁岭。

庆宽年轻时工书善画，受到醇亲王(即光绪之父奕譞)的赏识，被调入王府供职绘事。不久即供职内务府,历任内务府员外郎、堂郎中、晋三院卿,钦派办理清廷大典,奉旨画了大批宫廷历史图卷。他不仅是一位名重当朝的宫廷画家,而且颐和园的设计使他成为一位名传久远的园林设计家。

王尔烈与龙泉寺

张喜荣

龙泉寺在千山祖越寺西三里许, 经悟公塔院沿坡直上,行半里可达。以其历史悠久,建筑得体,寺院布局与自然景色和谐而引人注目。北弥勒峰与如来峰对峙;东“海螺月色”与“象山晴雪”屏列;西“石瀑重帘”与“象山献宝”拱卫;而南,左有“卧狮”、右有“宝杵”,“万松主照”与“松门塔影”相对,龙泉水穿寺而过,真乃“奇峰环抱隐古寺,古树参天绕风云,龙泉潺流溪水啸,百鸟啼谷崖散花”,素有“龙泉仙境”之称。

龙泉寺始建于唐,盛于明、清。清代辽阳名儒王尔烈曾长年在此读书。人们站在大殿上举目南望,山坳处白云滚滚,沿前峰卷地而起,扶摇直上,直达天际,继而阴云密布雷雨交加。至若春和景明,峰下林海苍茫,烟波柳浪,可比西湖之美。王尔烈长期观赏,细心入微,文采风流得此佳句:

龙之为灵昭昭降雨出云何必独推东岳；
泉之不舍混混烟波柳浪无难更做西湖。

寺内西阁，清初所建，位于鼓楼西北。王尔烈曾在此读书，故称王尔烈书房，有“西阁客灯”之称。

西阁前崖下，有一小峰陡起，高三丈许，上锐下宽，望之如瓶，孤松生其上，斜翠欲滴，如瓶插花，故名瓶峰晨翠，亦称“屏藩独峙”。

中日甲午战后的第二年，辽阳知州徐庆璋游千山，在此刻“屏藩独峙”四个大字。其摩崖文字曰：“甲午之冬，倭夷犯辽，大军未集，予号召民勇，独扼凶峰。幸叨天子威灵，得保危城。今和议已成，江山如故，游览至此，见斯石挺然独立，障蔽千山，因题四字，以志感云。”盖甲午之战役，日军犯辽，辽阳镇东军十三营，竟“大军未集”，而当时吉洞峪一带民勇在团练徐珍率领下，奋力抗战达一月之久。知州徐庆璋游山刻石记载此事。

陆翰林雪夜观碑

李树基

陆善格(1848—1919)，字宝臣，辽宁锦州人，南宋著名的爱国诗人陆游的二十七代孙。

清咸丰九年(1859)奉天府府丞兼学政汪元

方于锦州举童子试，年仅十二岁的陆善格背诵“六经”、“诸子”，犹如凌河之水滔滔不绝，声如珠落玉盘，清脆悦耳。汪元方大悦，说：“今年童子试第一名非陆善格莫属！”

光绪二年(1876)，二十九岁的陆善格经过十年的发愤，于丙子科考中了举人。

光绪六年(1880)，三十三岁的陆善格终于中了庚辰科进士，成了锦州府自明成化年科举以来的第五十八位进士，授翰林院庶吉士。

1912年，陆善格回锦后，布衣蔬食，澹泊自甘，锦县(现锦州)很多士绅，慕陆翰林的才学，遂请陆翰林讲授文史、书法、经学。陆善格在宅内辟出三间正房为“公明书屋”，传道授业解惑，广教乡镇士子。

民国六年(1917)，锦县知事特聘陆善格纂修锦县县志，陆善格欣然应聘。

一天晚上，陆善格在广济寺抄写周将军祠中金文淳撰写的《周忠武公祠碑记》，抄到“羊叔子之故里，难寻堕泪之碑，冯公孙之旧居，不见该兵之帐”时，小堂役在一旁笑了。陆善格问小堂役为什么笑，小堂役支吾不敢说。陆善格温和地说：“我是不是什么地方抄错了，惹你耻笑？我已古稀，撰写县志要一丝不苟，你说无妨。”小堂役见陆善格诚恳没有生气的意思，就笑着说：“陆老爷，您抄的‘不见该兵之帐’这句错了，这句应是‘不见该兵之树’。”陆善格看原底是“帐”字，自己抄的也是“帐”字。心想，这小孩子既说是“树”字，有可能是原底抄错了，陆善格决意提灯笼出城核实一下碑文。当时天上下着鹅毛大雪，小堂役前面打着灯笼，陆善格由小和尚搀扶，叫开城门，来到周忠武公祠，细看碑文，果然是："不见该兵之树"，"帐"字不对。陆善格又从头至尾地对了一遍，才高高兴兴地回到广济寺。

康有为游响水观

王立峰

清末改良派领袖康有为参与张勋复辟失败，逃往上海等地。鲜为人知的是康有为曾在大连避难，讲学，并留下珍贵墨宝。

1925年仲秋，康有为在大连期间，来到大连郊区的大黑山响水观游览，并留诗一首。诗云："金州城外百果美，瑶琴洞里三里深。尚记唐皇曾驻跸，犹留遗殿耐人寻。"记述了游后观感。

响水观位于大黑山西麓。寺庙建于深山巨崖之下，四周绿树掩映。因离寺观数里外便可闻到潺潺流水声，故名"响水观"。观前石壁刻有蟠龙，势如腾云。泉水从龙口中喷出，下有金蟾仰首承水。龙蟾交映成趣，栩栩如生。观前建有荷花池、亭阁、曲桥。观后石壁高数十公尺，奇木横生，千姿百态。五彩花卉繁生其中，群鸟穿鸣林间，肃穆清幽，如临仙境。院内正殿右侧石崖下有"瑶琴洞"，其入口狭窄，洞内空阔，深四十五公尺，人可出入。洞尽头有仙女抚琴玉雕。淙淙流水如娓娓琴声，轻恬悦耳，终年不绝，为响水之源。康有为的诗已被镌刻在响水观正殿西侧石壁上，为响水观增添了一处人文景观。

徐世昌与揽辔亭

卢　佳

沈阳历史上第一个公园（人称西公园），是20世纪初由东三省总督徐世昌倡议修建的。园内造有一所八角形俄式高阁，可以凭高远眺，东望沈阳城墙雉堞。徐世昌亲笔写了“揽辔亭”匾一块，表示他有揽辔澄清天下的抱负。还写了一副对联：

地当欧亚之冲，问当代贤豪几人经过；
亭外山川如绘，考沿疆形胜注我怀来。

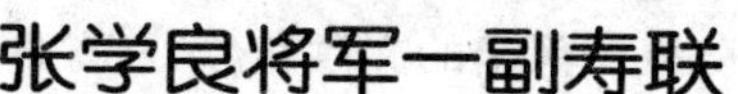

张学良将军一副寿联

云　省

民国十七年(1928)冬季，东北政界元老袁金铠庆六旬大寿，东三省兵工厂督办杨宇霆，奉天省长翟文选及军政显赫人物均莅寿堂祝嘏。张学良将军送的寿礼是两袭狐皮裘，并亲笔赠一副寿联：

偕老鸿光有家法，

论交鱼水况吾师。

可见推崇之至。张将军在东北以师礼相待者，只有金梁(字息候，清进士，太子少保)、白永贞(前奉天省议会议长)和袁金铠三人。

清末民初奉天的报纸

惠可铭

光绪三十三年(1907)汪洋创办《东三省日报》，为奉天的报纸之始。继起有《大中公报》、《微言报》。宣统二年(1910)八月《上海时报》、《神州日报》于南京发起成立中国报界俱进会，奉省各报均派代表与会，这是奉天报界与内地报业联系的开始。后因《大中公报》登载披露巡警总局防疫所黑暗的文章和《东三省日报》主张共和、提倡独立，均被当局捣毁。当时奉天尚无中外通讯社，报纸多取材于外报，重要消息，大部是从海外报刊选来译登的。进入民国，奉天新闻出版事业出现高潮，约有十七八家之多，如《醒时报》、《东三省公报》、《东三省民报》等。《东三省公报》是号称关东三才子之一的王光烈经营的，持论比较公正稳重，颇得各界好评。

迷真山娘娘庙会

王淑岩

距辽宁省营口大石桥西南三里许的一座山，叫迷真山，也叫耀州山。山顶有一座宏伟华丽的碧霞元君庙，俗称娘娘庙。据考是在后金天聪九年(1635)皇太极敕令在原古刹旧址上建筑的。建成后，每年农历四月十八日举办娘娘庙会。到1905年南满铁路通车后，庙会人数骤然多起来。后来铁路还在庙会期间加开临时列车，发售往返车票，票价减半，人们去庙会就更方便了。大石桥娘娘庙会，会期有时是三天，有时是五天，庙会人数每年都有几万人，最高达五十多万人。

娘娘庙会除烧香、拜神、祈祷，同时还有集市贸易。最为吸引人的要属丰富多彩的文化娱乐活动。有唱野台子戏的，跑马戏要杂技的，说书唱大鼓的，耍猴摔跤的，规模最大的尚属“秧歌圣会”。由迷真山附近村屯组织天吉、天仙、天德、天泰、天成五大圣会，圣会是由祭祀仪仗队和民间艺术表演两部分组成的游行表演队伍。队列顺序是这样的：最前面是队旗，接着是彩旗队，然后是表演队，包括有老汉背少妻、大头和尚逗柳翠、竹马、旱船、龙凤船、万花船、龙灯、狮

舞、大刀会、唐僧取经、五虎棍、高跷、抬杆、鼓乐。然后是祭祀仪仗队，按满朝銮驾的阵式，有打旗的，敲锣撑伞的，持“肃静”、“回避”牌的，然后是刀枪剑戟等十八般兵器，最后是由多人抬着的供有娘娘牌位的长架子，一行数百人。这支浩浩荡荡的队伍于农历四月十七日分五路进发，一路上边演边行，像滚雪球似的有成千上万的人跟随，傍晚在迷真山下会齐，十八日上山在庙前举行祭祀活动，然后进行民间艺术表演。各路圣会都有自己的特技绝活，都使出十八般解数一比高低，所以人们也称这为“赛会”。

20 年代后，夜晚还演电影，放焰火。当时还专为娘娘庙会拍摄一部纪录片。记得有一首《娘娘庙会小曲》：

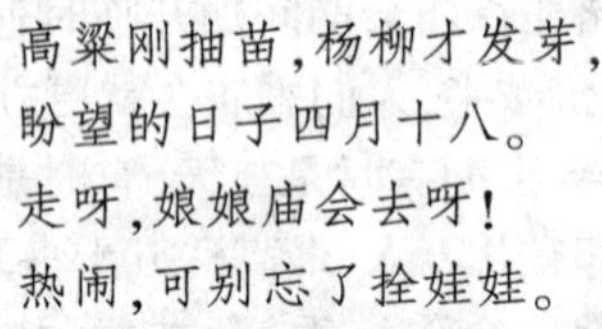
高粱刚抽苗，杨柳才发芽，
盼望的日子四月十八。
走呀，娘娘庙会去呀！
热闹，可别忘了拴娃娃。

并制成唱片，于 1940 年农历四月十八日发行。

一场中美篮球赛

黄文宪

东北大学五虎篮球队（简称东北五虎队），其成员都是东北大学体育科的学生：麻秉钧、赵凌志、田新厚、苑廷瑞、庞英五名主力。个个身材魁梧，是典型的关东大汉。他们又都是田径选手，速度快、起跳高、训练有素、配合默契。在张学良将军的支持下，东北大学篮球队于 1931 年初远征上海，在上海取得三胜一负的好成绩。他们在上海连胜沪江大学、交通大学，最后一战又胜了美国“海贼”队，名声大震，被誉为东北“五虎”。

东北“五虎”队同“海贼”队的争夺战，是在上海中华篮球馆进行的。近两千名观众把球场挤得水泄不通，盛况空前，经过四十分钟的激烈争夺，最后东北五虎队以三十七比二十大胜美国“海贼”队。

当时任全国陆海空军副司令、兼东北大学校长的张学良将军获悉“五虎”队的战绩后，高兴万分，立即发电慰问。其电文曰：“东大健儿，为国争光，雪我‘东亚病夫’之耻辱，弘扬中华民族之精神”，使队员受到极大鼓舞。

四平街元宵灯市

肃　严

四平街即今沈阳中街，在清末民初是最繁华的一条商业街。每年正月十五元宵节在此街举办灯市，被称为奉天省城八景之一。

四平街灯市上的灯绳,可算是景中奇观。在1927年以前,这条街两边房屋大部为平房,并多是有雨搭(房檐)的明门式商店(敞门脸)。每年正月初六各店开始置备,南北两边八十多家商店,统一于屋檐下悬挂灯绳。绳上悬挂尺许长的彩纸,上写“风调雨顺”、“国泰民安”、“财源茂盛”、“招财进宝”等吉祥祝愿的文字,间许远结一竹杆,顶端插上三角红旗,上书“天下太平”四字,并将用彩纸包好的石子附于竹杆的下端,使竹杆直立,这样整条街红旗和彩纸随风飘动,喜庆的气氛非常浓烈。1927年以后,马路拓宽,平房多改建为楼房,明门式变成暗门式,元宵节灯绳随之也被淘汰。

灯市的“堆灯”也很奇特壮观,各家店铺于正月初六日就开始扎制。此灯由两层薄纱做灯面,绘上花鸟、人物、山水,按图案贴上三分宽的银纸条,燃上蜡烛后,即可折射出各种图案,五光十色,鲜艳透明,十分精巧。

各商店还利用冰雪堆制成老叟、少妇、楼、塔、亭、榭等冰灯;还有鱼灯、羊灯、荷花灯、走马灯等等,十分精致,汇成了一片灯海。游人来往其间,尤如在水晶宫游荡。

到了20年代,随着电的普遍应用,又出现了彩色电灯,更增加了辉煌气氛。1921年元宵节,四平街瑞林祥丝房(今东风百货商店),在店堂内的顶棚上搭一葡萄架灯,以绿蜡纸作叶缚于藤上,用紫色灯泡作葡萄粒,灯泡一亮,碧莹莹一架葡萄展现眼前；又在圆洞形房门外堆挂二龙戏珠纱灯，金碧辉煌，闪烁迷离，围观者赞不绝口。此外，内金升鞋铺的红梅灯，吉顺丝房(今二百商店)的松树彩花灯等等，也都各有特色。同时街上有高跷、龙灯、旱船竞相表演，有的大商号还搭台放盒子(焰火)，整条街锣鼓喧天，人山人海，热闹非凡，令人留连忘返。

满族的射箭、赛马、跳骆驼

夏敬山

满族是能骑善射的民族，过去长期从事狩猎生活，擅长射箭、赛马、跳骆驼。

射箭，这是满族最喜好的体育竞赛活动。两千多年前的肃慎、挹娄"人皆善射，以射猎为业"，女子之执鞭驰马，不异于男儿。十馀岁儿童，亦能"佩弓箭驰逐"。清初，满族统治者令王公大臣及子弟"熟习弓马"，"凡有射不法者，立加斥责，或命羽林诸贱役以辱之。凡乡会试，必须先试弓马合格，然后许入场屋"。所以射箭之风气鼎盛一时。在满族聚居的市镇乡里，都建有许多箭楼、箭亭，每年春季，满族人都云集一地，进行射箭比赛。岫岩南门的文昌阁，俗称“箭亭”，就是八旗子弟春季比赛射箭的场所。

赛马、跳骆驼也是满族喜爱的竞技运动，此俗为沿袭清代八旗兵丁军事训练的项目而来。古代作战，勇者可飞上敌骑擒对手，此技以后成为体育竞赛项目。古老的赛马，在马飞跑时，从旁横跃马背，然后在马上表演各种技艺。清顺治元年(1644)在北京就举行过赛马，比赛者跃上马身，“左右随便活动”，“骑在马上拉弓射箭”。

跳骆驼，是在骆驼前行时，从后头跃上驼峰，以弹跳力和勇猛见高低。可是到了19世纪初，此项比赛已不流传了。

洗三、摇车、驹驹鱼

张　侠

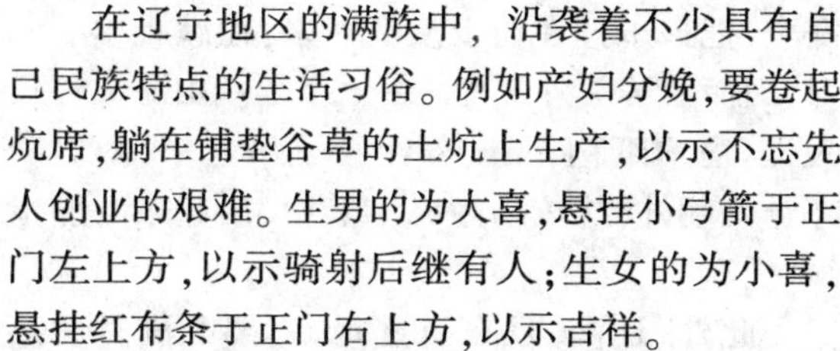

在辽宁地区的满族中，沿袭着不少具有自己民族特点的生活习俗。例如产妇分娩，要卷起炕席，躺在铺垫谷草的土炕上生产，以示不忘先人创业的艰难。生男的为大喜，悬挂小弓箭于正门左上方，以示骑射后继有人；生女的为小喜，悬挂红布条于正门右上方，以示吉祥。

在这些习俗中，尤以“洗三礼”更具特色。婴儿出生三日，收生姥姥(产婆)以艾蒿(或加防风草、槐枝、铜顶针儿、铁钉等)煮水为婴儿沐浴,俗称“洗三”。有的边洗边说顺口溜:“先洗头作王侯,后洗腰一辈要比一辈高(强)”;“洗洗蛋作知县,洗洗沟作知州”。亲友来贺,纷纷投掷铜钱、果品于盆,曰“添盆”。投枣即说:“早立子”;投莲子则说:“连生贵子”;投桂圆又急忙说:“桂圆、桂圆、连中三元。”还有的一边用棒锤在盆里搅,一边说:“一搅、二搅、连三搅,哥哥领着弟弟跑。”一边洗一边说不时引起阵阵欢笑。洗毕,再给婴儿梳理打扮一番;此时又说:“三梳两拢子,长大戴个红顶子;左描眉,右打鬓,寻个媳妇好四衬。”最后念叨着:“炕公炕婆本姓李,大人孩子交与你,多送儿少送女”;同时把所供神码烧掉,即算“洗三”礼成。

外婆家赠“摇车”,是满族育儿的又一重要习俗。车以长条薄板圈成,长约一米,宽约三十三厘米,两端半圆略翘,框漆以龙凤图案,并书以“长命百岁”、“龙凤呈祥”金字。两端各钻两孔,系以绳索,悬挂屋中。婴儿仰卧其中,不时摇晃,以免哭闹或促其睡眠。此俗由狩猎时代为了安全,把孩子挂在树上演变而来,在满族相沿成习,因而成了关外三怪之一。俗云:“山海关外三大怪:窗户纸糊在外,养个孩子吊起来,两口子睡觉头朝外(枕炕沿睡)。”其中“吊起来”,即指睡“摇车”。

此外,辽南、辽东有些地方,婴儿满月后第一次去姥姥(外婆)家,要给挂脖钱(颈项挂一支线,有的线上拴钱),意在把孩子拴住,使其长命百岁。有的还给孩子抹红鼻梁,并抱起婴儿向房柱上轻轻一撞(象征长得结实健壮)。返回时外婆要给蒸一种长鱼形(有的像蛇)的白面"驹驹鱼"(有的称"驹驹",新金县"驹驹"重八斤),象征婴儿犹如龙驹那样有发展。这些习俗解放后仍有沿袭,有些汉人也接受了。

锡伯族的婚俗

廖　志

一、抢婚

抢婚是锡伯族古老的婚俗,据《北史·室韦传》记载:"二家相许竟,辄盗妇将去,然后送牛马为聘",可见室韦(锡伯的音变)古俗,即使"二家相许"也采取抢婚方式。

这种婚俗,在辽沈地区锡伯族中,直至20世纪初仍有沿袭。而且直到解放后,辽西、辽北有些地方,仍存有黄昏提灯迎亲,午夜启轿返程,黎明前拜堂成亲的抢婚遗俗。

抢婚有强抢和象征性抢婚两种。强抢,一般多因家贫无力娶亲,或两情相悦受阻,不能如愿,或数男共求一女,为了捷足先登,遂邀至亲友协助强抢。象征性抢婚,在黄昏抢亲队伍出发前,先派先锋三人,一边通知女方即将抢亲,一

边监视女家行动。待抢亲的人到齐,当婚青年如能率众冲破阻拦,抱起姑娘,使其任何部位不落地地置于马上,破围而出,便算胜利。因为经过抢夺,姑娘亲眼看到在重重包围之中,在自己奋力反抗之下,小伙子竟能抢出自己,深感其勇敢机智,不觉产生敬佩爱慕之情,因而不再呼救反抗。女方长辈听不到呼喊,知其默认,也就不再追赶。二人共乘,回到男家,征得姑娘同意,立即成婚。然后再通媒、行聘,两家遂结姻亲。

二、鞭扫盖头

抚顺地区,锡伯族明媒正娶的迎亲仪式,另具特色。

婚礼的前一天,新郎在奥父、奥母(由有威望、善应酬、儿女双全的男女老人充当)和"定把汉"(意为机智勇敢的人, 挑选能歌善舞的英俊男青年充当)的陪同下,携猪、羊、酒礼,去女家迎亲。女家大宴宾朋,新郎逐桌跪拜敬酒。至晚"定把汉"不停地跳舞歌唱,女家有意挑剔歌舞,要求新郎亲自跳、唱;并要奥父、奥母表演歌舞,表演中故意跳错、唱错,不时引起哄堂大笑,以增欢乐气氛。女方亲友中的青年男女也乘兴起舞,和"定把汉"比舞对歌,把欢乐推向高潮。

尤其精彩的是鞭扫盖头。当新娘迎至男家、拜完天地将入新房时,新郎高擎马鞭,猛地一摇向盖头抽去,随着一声呼啸,鞭梢将盖头轻轻卷起,丝毫不损新娘头发(用以显示本民族的尚武精神)，因难度太大，后随汉俗改为挑盖头。

三、洞房抢肘子

洞房抢肘子是辽宁地区锡伯族婚礼的又一高潮。新婚之夜，洞房合卺，炕上设桌，置酒两杯(用一条红绳，两端各拴于酒杯底座上)和一个肘子(抚顺地区为羊肘子，沈阳地区为猪肘子)。新人对面坐于桌前，在闹房亲朋(多属平辈和晚辈)众目睽睽之下，新郎先把自己面前的酒杯送到新娘面前，新娘也羞羞答答地把自己的酒杯移到新郎面前，然后双双举杯对饮。这时门外鞭炮齐鸣，室内闹房人争抢肘子滚作一团。先得者夺路而逃，其他人追逐呼喊，最后谁得到肘子就成为最勇敢、最幸福的人。

沈阳满族姓氏拾零

惠克铭

女真首领努尔哈赤，在统一女真各部后，于1616年即汗位，国号“大金”，历史上称为后金，以与十二三世纪女真族建立的金代区别，建都于赫图阿拉(今新宾满族自治县境内)。后金的势力逐渐强大，都城先迁辽阳后移沈阳，称沈阳为穆克敦(满语，兴盛之意，故称盛京)。努尔哈赤故去，其子皇太极继承汗位，1635年定族名为满洲。1636年皇太极称帝,改国号为“清”。沈阳满族人家,有随同清室辗转而来的,谓之随龙户;有明代女真人的坐地户,以及从各地迁移或拨派来的。满族八旗人,俗称旗人。旗人除爱新觉罗、伊尔根觉罗是宗室和皇亲外还有八大姓:佟尔佳氏姓佟;瓜尔佳氏姓关,白、汪、鲍的属此氏系;马尔佳氏姓马;索绰罗氏姓索;齐佳氏姓齐;富察氏姓富;那拉氏姓那;纽祜禄氏姓郎。

八大姓之外,旗人姓氏还相当多。在康熙、雍正年间,谚语有“佟半朝,郎一窝,数来数去,没有索家多”。索即索额图,康熙时官居保和殿大学士,与明珠同执朝政。1689年偕佟国纲、郎坦等,往尼布楚与俄使签订《中俄尼布楚条约》,是我国外交史上取得胜利的头一个条约。晚年他牵涉到皇位继承争斗,被雍正执交沈阳宗人府幽禁致死,葬于回龙岗南索家坟。

锡伯人的三次大迁徙

白友寒

“锡伯”这个名称,汉字有室韦、失比、西北、席伯、席比等不同的语音。

据沈阳锡伯族家庙太平寺石碑所记,最早的锡伯族部落,大约居住在海拉尔东南绰尔河流域。13世纪时,曾被蒙古所征服。明代中叶开始向东迁移，定居于嫩江流域的齐齐哈尔和扶馀一带。清朝统治者怕锡伯人居住在一起“恐后生事”难以控制，便采取了“分散各境，万不可使居一国”的分而治之的政策，强迫锡伯族离开故乡，迁徙各地。因此，锡伯人在不到一百年的时间内，被迫进行了三次大迁徙。

第一次迁徙是清康熙三十六至三十八年(1697—1699)期间，计有七千八百二十三名官兵连同他们的家属，分三批离开世世代代生活的嫩江、松花江流域，南迁到盛京、开原、铁岭、兴京、辽阳、牛庄、盖州、复州、金州、岫岩、凤城、广宁、锦州、宁远、义州、中前所、中后所、吉林、山东、北京等地驻防。

第二次大迁徙是在清乾隆二十九年(1764)，清政府在伊犁建立了将军衙门，因为兵力不足，从盛京所属的沈阳、辽阳等十七个城镇，抽调锡伯族官兵一千零一十六名连同他们的家属共三千一百六十四人，迁徙到新疆伊犁一带驻防。这次万里行军，清政府命令三年走完，但他们只用了一年零五个月。旅途生活十分艰苦，锡伯族人民以坚韧不拔的精神，克服重重困难，终于完成了这一历史壮举，在祖国的西北边疆扎下根来，和当地兄弟民族一起，担当起保卫边疆、建设边疆的重任。

第三次大迁徙是在乾隆三十四年(1769)，清政府又从盛京所属各地，挑选一千名锡伯族壮丁，派往云南边疆驻防。

清政府这种“分散各境，分而治之”的政策，就是现在锡伯族大分散、小聚居的历史原因。

云丹桑布王爷

王 哲

云丹桑布是土默特左旗（阜新蒙古族自治县的原名)最后一代王爷。土默特左旗的王位是世袭的,可是,云丹桑布并不是老王色凌那木吉勒旺宝的亲生子,那他是怎么登上王位的呢?

1917年农历腊月三十的午夜，王府附近的旗民都燃放鞭炮迎接财神。当时，老王爷很高兴，在三福晋采云和养女昭哥的陪同下也准备出门迎"财神"。但当他刚要外出时突然昏倒在地,不省人事,待管家把府内医生请来诊脉时,已经气绝身亡。

第二天，老王的几位叔伯兄弟嘎日桑道尔吉、嘎力仓扎木错、雍西巴拉、阿拉坦杜树都来到王府，和老王的三位夫人以及养女昭哥商议由谁来继位。协理贡蔼尔布勒提议,由嘎日桑道尔吉暂时主持旗务，待王位继承人确定后再发丧。协理的话音刚落,嘎力仓扎木错就表示不同意。这时老王的三叔伯兄弟阿拉坦杜树一看嘎日仓扎木错不同意，就领先推出了自己的儿子吉勒接印。他的话音一落,王爷的几位夫人和兄弟就七嘴八舌地争吵起来了。有儿子的就为自己的儿子争王位，没有儿子的就往自己亲属的孩子脸上贴金，眨眼之间府内大乱。就这样一直争闹了五天，也没有争出个结果来。在万般无奈的情况下，由嘎力仓扎木错提议，以查王族的家谱定王位。谁是王爷的近支，就由谁继承王位。

王族的世袭家谱，写在一幅黄缎子上。王族的近支都用红笔圈着。在家谱上虽然都有几位大爷的名字，但没有一个是打红圈的。待翻到另一页，在嘎日桑道尔吉的名字上，重重地划了一个红圈。嘎日桑道尔吉为人正派，待人忠厚。多年来他辅助老王管理旗事，从不越权半步，也不仗势欺人。当桂冠将要落到他的头上时，他却拦住了大家说："慢，由谁来继承王位，我看还是按老王的遗愿去办吧！"嘎日桑道尔吉接着说："云儿两岁进府的时候，老王就赐予他乳名——先明；十三岁进府收为过子，并正式赐名云丹桑布。当时老王的心意，就是让云儿承袭王位。我虽然是王族的近支，可还不能继承王位，应该遵从老王的心愿，让云儿戴这顶王冠。"嘎日桑道尔吉的话音一落，王爷的家族亲属、府上的大小官员，无不点头称赞。就这样，年仅十四岁的云丹桑布正式继承了王位，成了土默特左翼旗的第十三任扎萨克。

为苏维埃政权献身的任辅臣

李留方

任辅臣，字佐卿，1884年4月生于铁岭县镇西堡乡河夹心村。1898年，帝俄在铁岭开始修筑东清铁路支线(哈尔滨经铁岭至大连)，任应召做录事。

1907年他只身去哈尔滨参加了联共(布)领导的“俄国社会民主工党哈尔滨工人团”的宣传活动。1908年，他秘密地参加了布尔什维克党。1914年末在哈尔滨由富亚公司招募了二千多华工到俄国去做工。任辅臣受布尔什维克党的指派，以外交署官员的身份到俄国乌拉尔地区的彼尔姆省阿拉巴耶夫斯克矿区，从事采矿、伐木等艰苦劳动。1917年11月7日(俄历10月25日)，在列宁同志领导下的布尔什维克党发动了伟大的十月革命。任辅臣激动万分，在他的倡议和组织下，全矿区一千五百多名华工参加了红军，组建了一个“中国团”，任被任命为团长，被编入红军第三军第二十九阻击师，转战在都拉河、卡马河地带，打败了人数占优势的敌人。当时的《共产主义者报》这样报道：“中国部队是我们战线上最坚强的部队……中国团之所以有这样顽强的战斗力，在于他们对共产主义的无限

忠诚，在于官兵间有着血肉相连、生死与共的阶级感情。”

1918年10月，中国团的骑兵健儿率先挥着马刀冲进白匪占据的拉亚镇，步兵也紧随而至，把数倍于中国团的敌人打得落花流水。苏维埃中央于10月27日命名中国团为“红鹰团”，在库什瓦城举行了隆重的授旗仪式。

11月下旬任辅臣被任命为该战场的临时总指挥。在维亚，他们与白匪军激战一整天。入夜后，部队住宿在军用列车上。白匪趁黑夜突袭维亚，包围了列车。战士们在任辅臣的指挥下，沉着应战。由于战斗条件对“红鹰团”十分不利，伤亡惨重。任辅臣为人类历史上第一个工农革命政权献出了宝贵的生命，年仅三十四岁。

1918年12月28日苏维埃政府为任辅臣的牺牲发出的讣告中有这样的评语：“任辅臣同志在中国侨民中享有很高威信，他把在中国人中间的影响和威信全部献给了苏维埃俄国……做为世界革命的忠诚战士，他把毕生精力献给了伟大的事业。”

任辅臣牺牲后，无产阶级的革命导师列宁在莫斯科召见了他的夫人张含光及二女一子，称赞任是一个卓越的指挥员，是一个优秀的布尔什维克。在十月社会主义革命七十二周年前夕，苏联最高苏维埃主席团颁布命令，授予在十月革命后苏联国内战争期间建立不朽功勋的中国公民任辅臣以红旗勋章，以表彰他的业绩。

网户屯的“穿睛鲫”

陈耿耿

网户屯位于锦西市东北部，在女儿河南岸的平原上。清朝时，锦州官员为了捕捞女儿河名产“穿睛鲫鱼”作为贡品献给皇帝，置渔民于此地，故名网户屯，相沿至今。

女儿河曲折东南流，至二道河子、营房子折向东方，到卧佛山下（龟山）淘成深潭，谓之龙头，那里水深涡湍，望而生畏，是鱼类保护自身的好地方。稍东就是网户屯，水稳沙白，水藻繁茂，诱引着鱼类来此栖息。“穿睛鲫”不产于女儿河全流，只生在网户屯上下十余里的河段里，可称之为奇事。

“穿睛鲫”外观和普通鲫鱼一样，也和其他鱼种杂居，其不同之处，就在眼睛上。它的眼睛，乍看也是左右两只，如果拿起细看，是一个眼珠。通过一个横在两眼中间的透明体能左右转动，左用眼珠在左，右用转在右，很像水平仪上的水银珠，灵活晶莹剔透，非常好看。如果向着太阳，从眼的一侧看去，可以见到另一侧光点。“穿睛鲫”的名字，可能就出在这里。后因无限制地捕捞，加之旱年河干，涝年易河道，“穿睛鲫鱼”便绝迹了。

蜚声北方的大城子陈醋

张树志

喀喇沁左翼蒙古族自治县大城子陈醋，以其独特的本地绵冗清甜古井之水，古老的传统酿造技艺，别具一格的香爽风味，奇特的药用疗效，堪与镇江香醋、山西老醋并列为我国三大名醋而蜚誉祖国辽阔的北方。

大城子陈醋始酿于清康熙八年（1669），有一运姓人家从山西迁于喀左大城子谋生，开始从事酿醋业。独营三世，品位居上乘，被当地蒙古王府列为“贡醋”晋奉清廷。尤因相传慈禧太后偏爱食用此醋，更使大城子陈醋身价迭起。到

1949 年建国前，大城子镇的“永庆居”、“春生堂”、“信增兴”、“裕来源”等七家商号的酿醋坊，堪称我国北方陈醋业的一大家族。

锦州小菜

刘国珍

锦州传统名产“什锦小菜”，原名虾油小菜。创于清康熙年间，距今已有三百多年的历史。

据说，清康熙初年，锦州城南渤海湾一带，有个叫硝盐锅的村子，住着一户姓李的人家，靠打鱼捕虾为生，历年在“小满”前后，在二界沟附近捕捞鱼虾。因为这一带是个漫滩，是海水与河水的汇合处，这儿产的乌虾（俗称大麻线）皮薄肉厚、肥鲜、味浓、无腥味。他打回来的鱼虾都担到锦州来卖。有时剩点虾就倒在缸里，怕坏了加点盐，久而久之，缸里的虾越积越多，并经过日晒自然发酵，便散发出一股清香味道，变成黏稠状的虾酱。每到饭时就舀一点下饭，并送给左邻右舍一些尝尝，凡吃到的人都纷纷赞扬味道鲜美。以后经他细心管理，增加日晒和搅拌，味道就更加鲜美了，遂取名为卤虾酱。

以后他又发现浮在上边有一层油，吃起来比虾酱味道更鲜美。为了多出一些虾油，开始只靠勺取上面的油，以后又用装筷子的笼子（柳条

编的)插在虾酱中,经过一个时期的渗透,笼子里贮满了清鲜的虾油。油多了就用油腌菜,一开始腌些黄瓜条、芹菜,以后改为用整个小黄瓜,腌后花不落,刺不掉,吃起来更清脆鲜嫩。逐渐又增加细嫩的江豆和外形美观皱褶均匀形似柿子的辣椒,构成了最初的虾油咸菜。

康熙二十一年(1682)九月,康熙皇帝来关东祭祖,经过广宁镇(今北镇县)中安堡时,锦州知府府尹准备去朝拜,特派侍从专程到硝盐锅李家取来两狗头坛(当时盛小菜的容器)虾油小菜,送到广宁镇行宫。康熙皇帝品尝后连声说好,从此名声大振。清同治九年(1870)李家后代李广春继承祖业,开始大量生产锦州小菜,从此远近驰名。

宣统年间,宫廷曾派人到锦州取去两大篓(十斤装)小菜,贴上了耀眼夺目的商标,扎上了红绳,带到京城敬献给溥仪。从此虾油小菜都扎起红绳,具有明显的特色。

吴永茂茶庄

惠　南

清乾隆年间曾编了两部书,一是《贰臣传》,传主头一名是洪承畴。二是《逆臣传》,传主头一名是吴三桂。吴三桂是明代辽东总兵,封为平西伯，驻防山海关。明末李自成农民军攻占北京，他率军降清，甘作清军先锋，打进北京，后往川陕等地，镇压农民起义军，兵进云南，杀死南明永历帝。清朝封他为平西王，镇守滇、黔一带。他手握重兵，形同割据。康熙帝实行撤藩，他又举兵叛清，军抵衡州（今湖南衡阳），于康熙十七年（1679）自称皇帝，国号大周，不久病死。他在各地的财产均按逆产查抄处理，惟独留下奉天吴家茶庄。店主吴永茂，据店员讲，他是吴三桂之子，曾为清室驸马，查封逆产时，敕命京奉两地给吴家留一小部分资产，以示恩典。

奉天茶庄，一般人认为中街的中和福茶庄、鼓楼西的中和祥茶庄最有名气，是老字号，实际若讲年代久远，生意发达，当首推钟楼南路西的吴永茂茶庄。当年旗（八旗）、民（汉人）官绅人家，敬客非用吴永茂茶叶，不算讲究。后来吴永茂茶庄倒闭，关东王张作霖听说吴永茂关板了（奉天方言，倒闭之意），深有感触地说：“这样老字号，在我管事的时候，让他黄了，官银号是干什么的，为什么没借钱给他！”

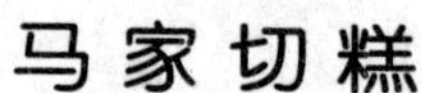

马家切糕

赴　香

张作霖在当陆军第二十七师师长时，时常

带几名护卫便装逛街。一天,遇到一个推单轮车的高喊:“哈啦(热乎的意思)切糕!”他见黄面发亮红豆隔层的切糕,一时兴起,便问:“多少钱一斤?”答曰:“八个铜板。”张买了半斤,饶有兴趣地吃了起来,觉得既甜还香。当时沈阳八门八关,再加开埠地(商埠地前身),只有小北边门里街西山东堡(旅沈山东人家聚居地),有一马家切糕作坊,每天早晨有二三百辆推单轮车的山东人,到马家切糕坊上货,然后推往城内各街叫卖。以后张作霖成为大帅,每次吃切糕,任凭厨师怎样加工,总觉不大对味,他说:“‘人奸地薄,东西抽条’,连切糕都没味了。”

熊凤凰品尝碗饦

旅　港

熊希龄,湖南凤凰人,清光绪三十三年(1907)随东三省总督徐世昌来奉,任奉天盐运使,后转奉天高等审判厅长,在袁世凯当政时,曾任国务总理兼财政总长。晚年任世界红十字会中华总会会长。在他宦游奉天时,人称他为熊凤凰。他听说四平街正月十五城隍爷出巡,看热闹的人山人海,熊便信步来到四平街路北奉天城隍庙观览盛况。庙山门内有几个卖油煎碗饦的摊子,众人纷纷上前争先购食。碗饦是用很精细的荞麦面用碗蒸好，凉了后用带齿的铜刀切成薄片，抹香油在平锅上煎好。这是当时沈阳人尤其儿童最喜欢的一种小吃。熊凤凰好奇，也买了一碗尝尝。卖碗饦的看他穿戴阔绰，特多加了些佐料。那知这位熊大人品出异味，就把口里两片碗饦吐出，竟吐到了马褂上。他没与卖碗饦的争吵，自认倒霉晦气，转身回府，换套粗布民服又去品尝。这次卖碗饦的没多加佐料，他反倒觉得碗饦果然是美食佳品。

后 记

《辽海鹤鸣》是《新编文史笔记》丛书中的一册。本书从广泛的领域，发掘鲜为人知的发生在辽宁地区的亲见、亲闻、亲身经历的清廷衰落、日俄逞凶、奉军征战、人民驱暴中的一些历史事件、名人轶事，辅之以简短的考据研究，用精练的文字翔实地反映出来，为弘扬民族文化和社会主义精神文明建设服务。

《辽海鹤鸣》由辽宁省文史研究馆和辽宁省人民政府参事室编写。参加编辑工作的有惠德安、蒋洪群、马衡文、徐建华、高绍忠、刘殿权、赵书兰、朱冰等。组稿过程中承蒙本省各级地方志编纂委员会和社会各界朋友的鼎力相助，源源赐稿。还特邀辽宁人民出版社副总编辑、辽宁书社社长袁闾琨审阅了全部稿件。在此谨致谢意。

《辽海鹤鸣》作者多是阅历丰富、广闻博识之士，文章既有文学风采，又有史料价值，短小精悍，可供老朋少友浏览。

“鹤鸣在阴”,“则千里之外应之”。《辽海鹤鸣》作者较多,由于他们的历史身份、社会地位和对社会生活观察的角度不同,所见、立说往往囿于局限,各执其一;况本书之记人述事已年代久远,且作者多届耄耋之年,恐有记忆之误;加之我们水平有限,经验不足,疏漏之处在所难免,敬希各位朋友不吝赐教。

编　者